Os Jogos de Poder
nas Relações Humanas

DRA. JESSICA BEAR
DR. WAGNER BELLUCCO

Os Jogos de Poder nas Relações Humanas

Os Florais de Bach e a Codependência
(Incluindo o Tratamento da Criança Interior)

Editora
Pensamento
SÃO PAULO

Copyright © 2007 Dr. Wagner Bellucco e Dra. Jessica Bear
Copyright da edição brasileira © 2011 Editora Pensamento-Cultrix Ltda.

Todos os direitos reservados. Nenhuma parte deste livro pode ser reproduzida ou usada de qualquer forma ou por qualquer meio, eletrônico ou mecânico, inclusive fotocópias, gravações ou sistema de armazenamento em banco de dados, sem permissão por escrito, exceto nos casos de trechos curtos citados em resenhas críticas ou artigos de revistas.

A Editora Pensamento não se responsabiliza por eventuais mudanças ocorridas nos endereços convencionais ou eletrônicos citados neste livro.

Nota Preliminar – As ideias e sugestões aqui apresentadas são produto de uma experiência particular e tem um propósito puramente didático. Muitas delas podem não estar de acordo com a filosofia do Bach Center. As condições médicas analisadas devem permanecer sob os cuidados e a orientação de um médico. Este livro não pretende fazer diagnósticos de doenças, nem prescrever tratamentos ou medicamentos. Os autores não se responsabilizam por esse tipo de uso. Quando houver necessidade, um profissional da área médica deve ser consultado.

Coordenação Editorial: Denise de C. Rocha Delela e Roseli de Sousa Ferraz
Preparação de originais: Lucimara de Carvalho e Denise de C. Rocha Delela
Revisão: Indiara Faria Kayo
Diagramação: Fama Editoração Eletrônica

Dados Internacionais de Catalogação na Publicação (CIP)
(Câmara Brasileira do Livro, SP, Brasil)

Bear, Jessica
    Os jogos de poder nas relações humanas : os Florais de Bach e a codependência: (incluindo o tratamento da criança interior) / Jessica Bear, Wagner Bellucco. — São Paulo: Pensamento, 2011.

    ISBN 978-85-315-1762-4

    1. Bach, Edward, 1886-1936 2. Cura 3. Ervas — Uso terapêutico 4. Essências e óleos essenciais — Uso terapêutico 5. Flores — Uso terapêutico 6. Matéria médica vegetal — Fórmulas e receitas 7. Terapia alternativa I. Bellucco, Wagner. II. Título.

11-10882   CDD-615.85

Índices para catálogo sistemático:
1. Essências florais : Terapias alternativas 615.85
2. Florais de Bach : Terapias alternativas 615.85

O primeiro número à esquerda indica a edição, ou reedição, desta obra. A primeira dezena à direita indica o ano em que esta edição, ou reedição, foi publicada.

Edição	Ano
1-2-3-4-5-6-7-8-9-10-11	11-12-13-14-15-16-17-18-19

Direitos reservados
adquiridos com exclusividade pela
EDITORA PENSAMENTO-CULTRIX LTDA.
Rua Dr. Mário Vicente, 368 — 04270-000 — São Paulo, SP
Fone: 2066-9000 — Fax: 2066-9008
E-mail: atendimento@editorapensamento.com.br
http://www.editorapensamento.com.br
Foi feito o depósito legal.

*E*ste livro, assim como todos os demais, é dedicado à minha mãe. Igualmente ao meu filho, Mathew, por me aceitar e compreender. Um obrigado especial aos amigos que me ampararam. Um agradecimento a John O'Donnell, que foi o responsável pela ideia inicial de escrever este livro. Também, a toda humanidade, e em especial àqueles que dedicaram suas vidas a promover e proteger os filhos de Deus e a Mãe Terra.

Deixo a todos essas mensagens:
Os Anjos das Estrelas são mensageiros e as Flores se tornaram símbolos de suas comunicações. Quanto mais estreita nossa comunhão com os anjos, mais profunda será a nossa compreensão dos mistérios do mundo das Flores.

Paracelso

O médico do futuro não ministrará remédios, mas iniciará seus pacientes nos cuidados da estrutura humana, na alimentação, nas causas e na prevenção das doenças.

Thomas Edison

E possamos ser sempre gratos em nosso coração ao Grande Criador, que em toda Sua glória colocou as plantas nos campos para a nossa cura.

Dr. Edward Bach
Jessica Bear

$\mathcal{D}$edico este trabalho conjunto com a dra. Jessica Bear, primeiramente a ela mesma, que me presenteou com seus textos originais para que deles eu dispusesse da melhor maneira. Como um ser superior e evoluído, compreendeu a essência verdadeira das flores de Bach, e a colocou num patamar de entendimento mais acessível, integrando os florais a outras abordagens de diagnóstico e cura, como a homeopatia, os testes musculares, a acupuntura e a psicologia.

Em segundo lugar, dedico este trabalho a todas as pessoas que, na minha vida, têm sido elementos de base e estímulo para que eu siga em frente em meu caminho.

À minha mãe, base fundamental para esta vida, e a um séquito sem fim de mulheres maravilhosas, que com sua graça, beleza, carinho e amparo amoroso, souberam fazer de mim o "menino" que me tornei.

Dr. Wagner Bellucco

Sumário

Apresentação 13
Introdução 17

PARTE I
Orientação para o tratamento de alcoólicos 21
Testemunhos sobre o uso dos florais com outras terapias 23
História e filosofia do dr. Edward Bach................................ 25
Quem comanda o desfile?.. 35
    Compreendendo os jogos de poder 35
    Citações do dr. Edward Bach 36
    Nota 42
Os grupos de personalidades, os Doze Curadores e os florais
    auxiliares e assistentes.. 45
    Os capacitadores-dominados.. 45
    Os mediadores-pacificadores.. 55
    Os dominadores-controladores 58

PARTE II
Integração dos florais de Bach ao programa de doze passos ... 65
Passo 1 65

Passo 2	70
Passo 3	70
Passo 4	71
Reconhecendo a autodestruição	75
Medo da autoridade	80
Orgulho	83
Humildade	84
Perfeccionismo	84
Minimizando o problema ou forjando álibis	85
Admitindo os erros	86
Egoísmo – compaixão por si mesmo – egocentrismo	87
Ressentimento	88
Raiva	89
Aceitando a responsabilidade pelas próprias atitudes	90
Impaciência, perdão e compreensão	91
Protelação	92
Liberando a culpa	93
Medo do abandono – isolamento – solidão	95
Zelando por todos, perdendo a identidade própria	96
Controle excessivo e exagerado senso de responsabilidade	97
Falta de respeito por si e baixa autoestima	99
Passo 5 Humildade em admitir os erros a outra pessoa e a honestidade para consigo mesmo e para com os outros	100
Passos 6 e 7	103
Passo 8	106
Passo 9	107
Passo 10	107
Passo 11	107
Passo 12	108

PARTE III

A cura da Criança Interior 109

Atividade meditativo-recreativa 109

A criança interior e suas modalidades 109

A criança abandonada/rejeitada 110

A criança amedrontada 113

A criança triste/pesarosa.. 115

A criança deprimida... 116

A criança ignorada/negligenciada.................................... 118

A criança obediente 119

A criança vulnerável/influenciável................................... 124

A criança raivosa/irada.. 130

A criança entorpecida 131

A criança reprimida 133

A criança carente 134

A criança desqualificada/incompleta 135

A criança magoada/ferida.. 138

Apêndice 1: Tudo sobre os florais reativos............................. 139

Apêndice 2: Rescue Remedy.. 145

Apêndice 3: Tabelas 149

Apêndice 4: Os dezoitos assistentes (anjos sofredores)........... 155

Apêndice 5: Os doze curadores e suas virtudes, falhas e
modos reacionais 157

Apêndice 6: Roda das emoções.. 159

Apêndice 7: O perfil da personalidade de acordo com os
florais de Bach 161

Bibliografia e leituras recomendadas...................................... 174

Apresentação

No Brasil desde 1989, o movimento terapêutico com essências vibracionais de flores ou outras partes das plantas vem crescendo com o constante interesse do público e a multiplicação dos chamados terapeutas florais, que estudam, divulgam e manipulam diferentes grupos de essências, originárias de vários países. Temos à nossa disposição todos os florais do mundo, como se o Brasil fosse um grande centro expositor da flora terapêutica, com mercado garantido e os mais diversos interesses.

Graças ao trabalho pioneiro do dr. Edward Bach nos primeiros trinta anos do século XX, podemos contar com um sistema floral adequado às nossas necessidades individuais. No entanto, essa pletora de essências só foi possível em virtude do impulso inicial propiciado pelas essências inglesas, pesquisadas pelo grande mestre Edward Bach.

Na Inglaterra, dois centros se encarregam de nos municiar com as 38 essências de Bach: o Bach Centre, com os Original Bach Flower Remedies; e o Healing Herbs, do herbalista Julian Barnard. Com os produtos desses dois centros, o sistema floral do dr. Bach ganhou nosso coração e se espalhou por todo o território brasileiro, dando início a um movimento inusitado até para os que deram continuidade à obra do dr. Edward Bach em seus países de origem. Não existe, em nenhum lugar do mundo, algo que se compare ao que se desenvolve no Brasil.

Ao longo dos últimos sete anos, o material humano comprometido com a terapia à base de essências florais, assim como as publicações relacionadas ao assunto ampliaram e se multiplicaram, passando por várias fases, ora de grande harmonia e interesse, ora de controvérsias e dúvidas, mas no fim, deixando um saldo absolutamente compensador.

Contamos com os livros de autores estrangeiros sobre o sistema de Bach, além dos escritos originais do seu criador. Dispomos de trabalhos de colegas e amigos brasileiros de diferentes áreas de atividade, que, ainda assim, se ocupam do sistema floral inglês.

Em novembro de 1993, em Águas de Lindoia, São Paulo, entramos em contato com mais uma fonte de conhecimento inspirada pelas essências de Bach: a doutora em medicina naturalista Jessica Bear, de Las Vegas, nos Estados Unidos. Coube a nós a honra e o privilégio de acompanhá-la em sua estada no país, por ocasião de um congresso e um *workshop* em São Paulo. Apesar de ter passado quase despercebida pelo público, a dra. Jessica Bear impressionou profundamente algumas pessoas, que ela mesma identificou como "os escolhidos".

Seu trabalho, até então, era completamente desconhecido para a maioria de nós que há anos lidávamos com os Florais de Bach. No entanto, o impacto exercido sobre os "eleitos" foi tão grande que, de imediato, nos comprometemos a apreendê-lo e passá-lo adiante aos interessados. Pessoalmente, creio que a dra. Jessica Bear apresenta a mais adequada esquematização do uso do sistema floral inglês, além de introduzir novas maneiras de aplicar as essências em nossa vida diária.

APRESENTAÇÃO   15

Este é um dos seus livros sobre o assunto, o quarto que traduzo, além de ser também coautor, pois, atendendo ao pedido dela, interferi algumas vezes no texto para torná-lo mais claro ou abrangente, ou acrescentei trechos de outros trabalhos, com a intenção de enriquecê-lo. Um dos seus objetivos é mostrar, na prática, como as essências florais inglesas podem ser usadas para compreendermos os jogos de poder entre as pessoas na sociedade familiar, no ambiente de trabalho ou de estudo e nos relacionamentos em geral. Ela traz à baila, entre outras coisas, o tema atual da codependência.

Desde que me interessei pelos florais de Bach, minha atenção se voltou para a biografia do criador do sistema e para o modo particular como as essências eram descobertas. Eu tinha certeza da importância da hierarquização entre as essências, e isso só ficou realmente esclarecido quando tive contato com o conteúdo dos livros da dra. Jessica Bear. Neles, pude compreender plenamente a missão desse sistema terapêutico, sua competência diante dos terapeutas, dos clientes e das necessidades da nossa época. Eu também pude vislumbrar de modo fascinante aquilo que, nos livros mais antigos sobre os florais, é revelado apenas parcialmente e fica até certo ponto velado: os Doze Curadores, os Sete Auxiliares e os outros Dezenove. Ou ainda: os Doze Curadores e os outros florais.

Esse conteúdo teórico foi publicado em português (ver Bibliografia). Um deles é *Aplicações Práticas dos Florais de Bach*, publicado pela Editora Pensamento.

O que há de novo no trabalho de Jessica Bear e que a torna uma autora ímpar em se tratando dos florais de Bach?

Podemos afirmar que sua abordagem é única, pois não se prende aos textos já traduzidos e conhecidos no mundo. Tampouco ela trata os florais ingleses como um instrumento terapêutico secundário, que sirva apenas para veicular outra ideia a eles associada, como, por exemplo, astrologia e florais, acupuntura e florais, numerologia e florais etc. Não! Em todos os seus cinco livros, a doutora Bear situa as essências inglesas em seu legítimo lugar de destaque dentre todos os outros sistemas florais existentes e resgata sua verdadeira e mais profunda compreensão. A exemplo de Edward Bach, ela fundamenta a utilização prática das flores em preceitos filosóficos e doutrinários, conhecidos há milênios sob a égide de Jesus Cristo.

Em seus textos, ela deixa transparecer uma natureza ao mesmo tempo enérgica e inspirada, profundamente espiritualizada e mesmo assim prática, que faz com que o seu trabalho represente para nós a chance de compreender a verdadeira competência do sistema floral inglês, assim como a maneira de utilizá-lo amplamente no dia a dia.

Um dos seus livros mais teóricos, *Jogos de Poder* é um verdadeiro achado para médicos e psicoterapeutas. Além de apresentar um tema atualíssimo, a codependência, verdadeiro jogo de controle e manipulação entre as pessoas, ele apresenta ainda o tratamento da criança interior, no qual são abordados temas como abuso sexual, abandono, revolta, desqualificação etc. Enfim, uma gama imensa de emoções e sentimentos presentes em muitos de nós, adultos ou crianças, e responsáveis por nossa infelicidade e desdita.

Com o uso sistematizado das essências florais do dr. Bach, mostrado neste livro, podemos reequilibrar a personalidade em desequilíbrio, devolvendo sua autenticidade e ajudando-a a encontrar o seu destino verdadeiro.

Dr. Wagner Bellucco

Introdução

Creio que os florais de Bach sejam o meio mais eficiente para liberar e curar emoções. Anteriormente, eu acreditava que a identificação e a compreensão do stress emocional eram 50% da solução, e que a correção da causa estressante consistia nos outros 50% restantes. No entanto, sei agora que identificar o problema representa apenas 10% e transformá-lo, 90%! Os florais de Bach agem sobre esses 90%.

Os florais de Bach estão de acordo com as atuais demandas do mundo: a conveniência e a simplicidade. Não é necessário um tempo exclusivo para se dedicar a meditações e afirmações. Tudo o que se tem de fazer é pingar algumas gotas sob a língua tão frequentemente quanto se deseje. Por serem preparados sob a forma líquida, em gotas prontas para o uso, os florais de Bach podem ser tomados enquanto se está parado num semáforo, durante uma reunião, uma aula etc.[1]

Os florais devem ser incorporados à nossa vida. Isso quer dizer que devemos acrescentá-los às coisas que sabidamente nos são bené-

---

1. Não estou sugerindo ou aconselhando que nos desviemos das normas ou rotinas estabelecidas, mas apenas dizendo que os florais de Bach podem ser integrados a uma rotina diária ou a um programa já estabelecido.

ficas. Por exemplo, não interrompa um Programa de Doze Passos[2], mas integre os florais para ajudá-lo e dar cada passo com maior compreensão, progresso e felicidade.

Ao lançarmos um olhar sobre a introdução dos florais de Bach no Brasil, notamos que as essências passaram por um período de desconhecimento quase que total, pois em 1989, alguns farmacêuticos que possuíam um kit com os 38 florais mais dois vidros de Rescue Remedy chegaram a jogar tudo no ralo da pia. Alguns tentaram colocá-los no mesmo patamar dos medicamentos homeopáticos, dinamizando--os, o que logo se mostrou inútil e desnecessário. Igualmente tentaram associar os florais a práticas diversas, estabelecendo comparações ou analogias indevidas, o que em nossa visão e na de outros praticantes do sistema, assim como na do dr. Bach eram totalmente equivocadas. Alguns livros foram lançados com essas associações, tentando ligar os florais a práticas com a acupuntura, eneagrama, chakras entre outros. Somente quando a dra. Jessica Bear veio ao Brasil para um evento sobre o assunto no final de 1993, pudemos ter uma visão ampliada sobre o sistema de Bach e sua utilização em si, mas com uma metodologia de aplicação que permitiu uma gama maior de utilização em situações de vida e de maneira complementar a diversas terapias já utilizadas por médicos, psicólogos, terapeutas corporais etc. Isso é diferente de relacionar os florais de Bach a chakras, eneagrama ou aplicá-los na ponta de uma agulha de acupuntura. Compreendemos que existe uma hierarquia dentre os florais, uma noção de níveis de competência entre as essências, que permite a obtenção de compo-

---

2. O Programa de Doze Passos é um programa criado nos Estados Unidos em 1935 para o tratamento de alcoolismo e mais tarde estendido para praticamente todos os tipos de dependência química. É a estratégia central da grande maioria dos grupos de autoajuda para o tratamento de dependências químicas ou compulsões, sendo mais conhecidos no Brasil os Alcoólicos Anônimos e Narcóticos Anônimos.

sições otimizadas visando a harmonização de maneiras equivocadas de ser, a correção de rumo de personalidades em conflito com seu Eu Superior, a melhor convivência entre pessoas com personalidades convivendo em regime de subserviência e/ou dominância unilateral, competição destrutiva e depreciação mútua.

Partindo da noção de que carregamos ao longo da vida uma instância pura e original, que convencionamos chamar de Criança Interior, indicamos os padrões vibracionais dos florais de Bach que podem recolocar a personalidade, já desenvolvida ou em desenvolvimento, em seu caminho evolutivo e em sua melhor expressão, livrando-a dos padrões negativos e das crenças limitadoras. Resgatando a integridade e a originalidade de sua Criança Interior, a personalidade poderá novamente estabelecer sua sintonia com a Alma e, dessa maneira, aprender a lidar com diversas situações de sua vida atual que possam estar lhe causando sofrimento.

Parte I
Orientação para o tratamento de alcoólicos

Os florais de Bach se destinam a qualquer pessoa, incluindo indivíduos que fazem uso excessivo de álcool. As essências são preparadas em conhaque (*brandy*) a 40%, o que pode ser inadequado ou indesejável para tais pacientes. Entretanto, podem ser dispensadas apenas em água, glicerina líquida ou em vinagre de maçã para uso via oral.

Há também outras maneiras de se utilizar os florais de Bach como uma ferramenta de ajuda nos traumas emocionais da vida. Eles podem ser aplicados em uso tópico nos pulsos, na fronte, atrás das orelhas ou simplesmente borrifados no ar para que sua energia harmonizadora possa impregnar todo o ambiente do lar etc. Recomenda-se o uso de um frasco de uso diário, mais diluído do que o frasco de estoque, evitando assim, que o paciente (no caso dependente de álcool) fique tentado a tomar direto do primeiro.

No Brasil não se consome direto do frasco de estoque, pois o mesmo vem da Inglaterra e, obviamente, seu custo não permite que cada paciente tenha seu kit de essências próprio. Em geral, obtém-se nas farmácias um frasco de uso diário, no qual são colocadas apenas duas gotas do conteúdo do frasco de estoque de cada essência escolhida.

Esse frasco terá, além dessas gotas com uma quantidade mínima de conhaque, água ou os conservantes citados, glicerina ou vinagre de maçã. No caso de pessoas que não são viciadas em álcool, mas são muito sensíveis ao seu cheiro, basta proceder como indicado.

Para o paciente alcoólico em tratamento com os florais, usa-se o vinagre, que mascara o odor do pouco álcool das essências. Assim, ele não poderá ser acusado pelos parentes de estar usando álcool escondido, quando na verdade estaria tentando se recuperar usando os inocentes florais, cujo conservante costuma ser o conhaque.

Os florais despertam e estimulam nosso ser natural, permitindo que sejamos nós mesmos. Assim, devem ser encarados como verdadeiras dádivas de Deus. Existe um total de 38 essências florais de Bach, que podem ser usadas de maneira bastante variada. Descrevemos apenas algumas das muitas formas de aplicação dessas essências, que podem promover a sua vida. Recomendamos a leitura do livro *Aplicações Práticas dos Florais de Bach*, de Jessica Bear e Wagner Bellucco, para uma compreensão mais completa do uso dos Florais de Bach no dia a dia. Veja também a bibliografia no fim deste livro.

Peça o auxílio de um profissional treinado no sistema floral de Bach para ajudá-lo a entender como as essências podem otimizar sua fórmula pessoal.[1]

---

1. Leia o capítulo sobre os florais reativos, que explica o processo de limpeza do conteúdo emocional negativo que pode ocorrer à medida que nos adaptamos às transformações da nossa vida. Essas mudanças podem ser sutis ou dramáticas.

Testemunhos sobre o uso dos florais com outras terapias

"Descobri os florais de Bach no ano passado e gostaria de atestar o impacto que eles tiveram em minha recuperação. O uso das essências florais me possibilitou trabalhar alguns sentimentos com enorme facilidade. Isso me permitiu aceitar coisas que eu não tinha sido capaz de encarar. Usei-os também para promover minha cura física. Recomendo o uso dos Florais de Bach em conjunto com quaisquer outros métodos de cura em uso."

Pat T.

"Individualmente ou numa composição, os florais têm sido de grande ajuda na busca do meu Eu verdadeiro, posto que sempre agi com base na personalidade de uma 'outra pessoa'. Com a ajuda de uma combinação de uso diário, me conduzi melhor sob a minha própria pele, cuidando das minhas coisas e prestando atenção ao meu próprio desenvolvimento ao invés dos outros. Não poderia promover meu crescimento interior de modo fácil e rápido sem o auxílio dos florais. Eles são grandes amigos e ótimas vibrações para termos ao nosso lado."

C. G.

"Os florais de Bach têm sido um verdadeiro milagre em minha vida. Seguindo as orientações dos livros de Jessica Bear, eles têm aliviado sobremaneira minhas dores físicas e minhas angústias mentais. Continuo a usá-los para enfrentar os desafios do dia a dia e restabelecer o equilíbrio e a serenidade em minha vida."

Lynn P.

"Tive algum contato com os usos e aplicações dos florais de Bach através das aulas e dos livros de Jessica Bear, e achei que tinha tudo o que precisava à mão. Mal sabia eu o que a experiência gestáltica assim acumulada estava fazendo à minha vida. Estava sendo duramente preparada para que minha consciência se abrisse para novos e revolucionários modos de ver a mim mesma, e para o dramático poder que as essências florais iriam promover, conduzindo-me a etapas de crescimento que valorizariam minha missão de vida."

Pam Callaway

"Minha primeira experiência verdadeira com os florais foi com o Rescue Remedy. Eu havia ferido gravemente minha perna e estava com tanta dor que peguei o Rescue Remedy e espalhei por toda perna. Em poucos minutos a dor tinha ido embora! Também tenho usado os florais para me livrar de antigas mágoas."

John O'Donnell

História e filosofia do dr. Edward Bach

Desde a infância, Bach sempre nutriu grande amor pela natureza. Intuitivamente, ele sabia que ela era fonte de vida e de cura. Acreditava também que o toque era capaz de curar.

A compaixão pela humanidade e o amor irrestrito pela natureza eram suas maiores motivações; mal sabia ele que ambas amadureceriam e se fundiriam numa única meta. Desse ponto de vista, é possível dizer que seu destino já estava traçado.

Bach costumava atribuir o início da sua carreira em medicina ao fato de lhe faltar vocação para os negócios. Na loja da família, era simplesmente incapaz de cobrar da clientela. O pai decidiu que era melhor investir em seus estudos e encaminhá-lo para a faculdade – antes que ele acabasse por doar o próprio estabelecimento.

Mesmo tendo conquistado vários títulos na profissão médica, Bach viu-se insatisfeito com os resultados alcançados pela medicina e pelos seus procedimentos experimentais.

Buscando uma medicina que não causasse dor, ele estava sempre às voltas com estudos, pesquisas e indagações. Foi assim que ele descobriu os sete nosódios, espécie de bactérias intestinais usadas como vacina para prevenir doenças crônicas.

A utilização de bactérias no tratamento da enfermidade crônica alcançou grande êxito, conquistando reconhecimento para Bach. E foi justamente a descoberta dos nosódios que lhe proporcionou o primeiro vislumbre de que as diferentes personalidades das bactérias pareciam estar relacionadas às diferentes personalidades dos pacientes.

Bach ficou surpreso e atônito à medida que monitorava o grau de recuperação dos pacientes com base em sua personalidade.

Atentou para sinais de mudança e atitudes de recuperação, observou cuidadosamente a maneira como cada paciente se comportava, assumindo ou não o controle da própria vida, e como lidava com conflitos internos.

Ele passava muitas horas no hospital, estudando e analisando os pacientes. Começou, então, a perceber que a personalidade e a postura pessoal do indivíduo pareciam desempenhar um papel mais decisivo em sua recuperação do que o tratamento médico recebido. Havia pacientes que, a despeito de tomarem os mesmos medicamentos que os demais, simplesmente não faziam progressos. O fato chamou-lhe a atenção, levando-o a se questionar e aprofundar suas pesquisas. Ele acabou por inferir que a personalidade e as atitudes desses pacientes deviam estar refreando o processo de recuperação e cura.

Em essência, Bach concluiu que a doença era consequência de um conflito entre alma, mente e corpo. Se essa premissa fosse comprovada, as metodologias médicas ou corporais nunca iriam nem poderiam erradicar completamente a doença, nem dentro nem fora do corpo.

O conceito de que a doença resultava de um conflito entre alma, mente e corpo era algo muito sofisticado para aquela época. Todavia,

Bach acreditava que, se o conflito fosse detectado e superado, podia-se prevenir a doença antes que se manifestasse no nível físico.

Esse conflito tinha origem em dois erros primordiais, dois pecados contra a vida e a unidade. Um era a desarmonia entre a alma e a personalidade; o outro, a crueldade ou injustiça para com as outras pessoas. Bach percebeu que o conflito, em suma, tinha origem no egoísmo (ego).

As causas fundamentais da enfermidade e da doença são imperfeições mentais-emocionais: orgulho, crueldade, ódio, narcisismo, ignorância, instabilidade e cobiça, entre outras. São essas imperfeições a verdadeira raiz da enfermidade e da doença. Um modo de se direcionar interiormente para a cura é voltar-se para aqueles que necessitam de cuidados e atenção; é esquecer as próprias necessidades e interesses nesse empenho.

Embora à primeira vista a doença parecesse cruel, Bach a julgava benéfica para o paciente. Ele achava que era possível purificar devidamente a alma de seu problema e, a partir daí, aprender as verdadeiras lições da vida.

O fato de a dádiva da vida ainda pulsar no indivíduo demonstrava que a alma estava no comando e que, portanto, ele não havia perdido a esperança.

Bach sentia que médicos e pacientes deviam buscar em si mesmos a origem de sua doença. Ele argumentava que a medicina moderna trata as consequências do mal físico, mas não a sua causa: que o materialismo (a cobiça ou o amor egoísta) era a causa primária da enfermidade, a qual propiciava a manifestação e o desenvolvimento da doença. Desse modo, a ciência médica e a medicina moderna praticavam um tipo fragmentado de cura.

O tratamento médico poderia até agravar a situação do paciente, uma vez que contribuía para mascarar a verdadeira origem do problema. E, então, como o paciente se dava por satisfeito porque a chamada doença fora "curada", a verdadeira origem desta passava despercebida; posteriormente, ela tornava a se manifestar como antes ou sob outra aparência.

Na opinião de Bach, os médicos do futuro estariam aptos a auxiliar o paciente num processo de autoconhecimento e, depois, a apontar os conflitos fundamentais responsáveis pela sua doença. (Aqui, eu gostaria de enfatizar que o verdadeiro significado e tradução da palavra doutor, em latim, é "professor-instrutor da vida".) Ao se ministrarem tais remédios, ajudamos o corpo a ganhar força e isso ajudará a serenar a mente. Portanto, proporcionaremos paz e harmonia à pessoa como um todo.

Em decorrência da sua frustração cada vez maior com a ciência médica e convicção de que a medicina deveria ser mais natural e manter-se nos limites da natureza, em 1930 Bach retornou à terra que tanto amava, longe da cidade. Lá, seus estudos levaram-no à descoberta das essências florais.

No decorrer das pesquisas e estudos sobre o histórico, a prática e os usos dos florais e de suas essências, ele constatou que desde tempos imemoriais se empregavam flores com propósitos medicinais, no tratamento das mais diversas enfermidades.

Ele estudou grandes nomes da cura, em especial Hahnemann, fundador da medicina homeopática. Assim como Bach, Hahnemann havia percebido que, ao analisar a postura mental-emocional dos pacientes perante a vida e o meio ambiente, era capaz de descobrir um corolário direto para suas doenças. Bach respeitava o fundador da medicina homeopática por ele haver procurado a resposta às perguntas sobre a causa da doença nas ervas do campo, que não só curariam o corpo, como também atuariam de modo positivo no ânimo e no pensamento dos pacientes.

HISTÓRIA E FILOSOFIA DO DR. EDWARD BACH

Dando-se conta de que as enfermidades se originavam um plano acima do físico e que a busca materialista (cobiça e amor egoísta) tinha um apelo muito forte, Bach acreditava que a maioria dos pacientes estava perdida no plano físico porque perdera de vista a verdade. Depois de estudar a homeopatia (definida como "lei dos semelhantes" ou "semelhante cura semelhante"), ele concluiu que a homeopatia limitava-se a permitir que o paciente voltasse à "saúde normal ou homeostase".

A seu ver, isso ainda deixava a desejar, pois não elevava o indivíduo a um nível superior de vida; apenas lhe proporcionava um sentimento de neutralidade ou, em outras palavras, um "grau zero de enfermidade". Nesse estado de neutralidade, a evolução pessoal do ser humano continuaria em retrocesso.

Assim, definir os Florais de Bach como remédios homeopáticos é válido até certo ponto. As essências florais preparadas segundo o método homeopático, ou seja, são "potencializadas na diluição"; entretanto, surtem efeitos "opostos na ação". Partindo da premissa de que a homeopatia baseia-se na "lei dos semelhantes" ou "semelhante cura semelhante", vejamos um exemplo. No caso de um envenenamento por arsênico, seria prescrito ao paciente um arsênico homeopático, a fim de ajudar o organismo a eliminar o veneno. Esse procedimento, porém, só faz trazer o corpo de volta ao "grau zero de enfermidade". Os florais, por outro lado, substituem a imperfeição (negatividade) pela virtude, fazendo o corpo passar a um elevado estado de existência. Como já foi dito, a homeopatia consiste em "semelhantes em ação", ao passo que os florais são "opostos em ação". Ou ainda: a lei dos semelhantes *versus* a virtude em substituição à imperfeição (negatividade).

O intuito de Bach era o de que o ser humano assimilasse conhecimento suficiente a respeito dos florais para ter a seu alcance um método simples de autoajuda, que fosse útil também a familiares e amigos. Ele dizia: "Detecte no paciente o conflito mental ainda não resolvido, dê-lhe o floral indicado para superar o seu conflito e transmita-lhe toda a esperança e incentivo que puder. A virtude interior do paciente se encarregará, por si só, do resto. [...] Trate a causa, não o efeito".

Mais tarde, suas pesquisas abordariam um fato conhecido por poucos. Nas gerações anteriores, era costume cultivar um herbário para tratar os familiares com um método natural. Esse conceito de arsenal de ervas ou botica caseira fez Bach perceber que os florais teriam êxito garantido. Ele também percebia, claramente, a função dos 38 florais que havia desenvolvido e aperfeiçoado: ele encontrara um método de cura simplificado para a humanidade, que servia tanto à gente do campo como à da cidade.

Infelizmente, por força da ciência médica, a população foi persuadida a abandonar a cura natural pelas ervas em prol da saturação química do sistema (com a prescrição de drogas legalizadas), que jamais proporcionará uma cura duradoura.

As essências florais de Bach não são tóxicas nem criam dependência – o usuário não corre o risco de ingerir uma superdose, nem mesmo se tomá-las a intervalos de cinco minutos. Trata-se de uma característica bastante diferenciadora com relação à maioria das drogas prescritas, estas com uma longa lista de efeitos colaterais devido a seu alto teor tóxico.

Bach apreciava particularmente a simplicidade dos florais e sua fácil aplicação por profissionais ou leigos. Além disso, trata-se de medicamentos capazes de incrementar e acelerar o tratamento em suas diversas situações.

Na qualidade de consultores, acreditamos que os florais de Bach sejam de grande utilidade como terapia complementar, assim como a terapia corporal, a massoterapia, a psicanálise, a cinesiologia, e para uso em qualquer disciplina profissional.

Por meio da observação de seus pacientes e do incansável acompanhamento hospitalar, tanto dos seus como dos pacientes de outros médicos, Bach constatou que a experiência de ajudar outras pessoas era, com raras exceções, um dos maiores prazeres e estímulos da vida. Em outras palavras, as pessoas naturalmente gostavam de se ajudarem umas às outras. Na visão dele, com os florais, qualquer um podia ter à mão uma ferramenta simples e efetiva para ajudar o próximo, sem necessidade de ser enfermeiro, médico ou profissional da área de saúde. Só era preciso ter conhecimento das flores e capacidade para se comunicar. Isso habilitaria a pessoa a facilitar a cura de familiares e amigos e, assim, promover amplamente a saúde e o bem-estar no mundo, com a vantagem de não provocar efeitos colaterais adversos. Em consequência, ela não teria de se preocupar caso um floral supostamente "errado" fosse tomado. Os florais trazem à tona a virtude do paciente e acho que levaria um bom tempo para se ter uma superdose de virtude...

Ao se aprofundar no assunto, Bach descobriu que existem três níveis básicos no reino vegetal:

1. Plantas venenosas. Incluem a Belladonna e outras plantas noturnas.
2. Vegetais. O alimento que ingerimos, incluindo os grãos, as sementes oleaginosas, os legumes e as frutas.
3. Flores com propriedades terapêuticas. Plantas que têm o poder de elevar o nível de vida.

A grande preocupação de Bach era a de que os pacientes conseguissem reconhecer e eliminar todas as formas de conflito mental.

Ele escreveu que é o conflito mental-emocional que requer atenção prioritária. Da mesma maneira, é necessário estudar os sintomas emocionais dos distúrbios físicos em vez de mascarar a enfermidade com drogas.

Isso se deve ao fato de a mente ser, de longe, um "sintoma guia" muito mais delicado, sensível e intuitivo que o corpo denso. Bach recomendava, portanto, a observação e a conscientização do conflito mental-emocional, dois procedimentos fundamentais para a seleção do floral mais indicado.

É evidente que os efeitos dos conflitos mentais geram desequilíbrio entre a natureza e a Alma (o Ego), ocasionando o desequilíbrio do corpo. Este deve ser mantido em harmonia universal para o mais perfeito bem-estar de cada indivíduo. Bach insistia que se atentasse aos sintomas iniciais de stress ou conflito. Por exemplo: suponhamos que uma criança volte para casa depois da escola e sua mãe perceba intuitivamente que há algo errado com ela. A mãe não sabe ao certo qual é o problema e pergunta como se sente, se está tudo bem, como foram as coisas na escola. O melhor a fazer, então, é identificar o problema o quanto antes, ministrando o floral adequado. Depois, resta esperar e, talvez, cuidar de uma gripe, resfriado ou algo mais grave.

Com o devido questionamento, invariavelmente se chega à causa. No exemplo dado, é muito provável que a criança tivesse enfrentado algum problema na escola. Mas, em caso de dúvida, recorre-se ao Rescue Remedy. Muitas vezes, só é preciso aliviar o stress da criança, para evitar reações negativas posteriormente. Quanto mais cedo for ministrado o floral, mais rápida será a recuperação.

Ao observar as correlações e a evolução (ou características) de uma doença, constatei, por experiência própria, que o conflito mental-emocional dá início ao ciclo – o que vai ao encontro da teoria do dr. Bach. Isso, por sua vez, provoca uma injeção de toxinas emocionais na corrente sanguínea e promove o desequilíbrio químico do sistema. Numa reação em cadeia, o desequilíbrio bioquímico pode comprometer o equilíbrio do sistema elétrico e do sistema físico. Daí resulta a enfermidade ou, no mínimo, algum sintoma físico a ela relacionado.

Bach notou que até um mero resfriado tem caráter único, individual. O resfriado ou qualquer outra enfermidade, portanto, não poderia ser tratado de modo eficaz com uma pílula de formulação genérica nem com um método de ação generalizada prescrito pela medicina convencional. Assim, se a causa da doença é individual, ela deve ser tratada de maneira individualizada para se chegar a resultados mais favoráveis e duradouros.

Por exemplo:

1. Se a pessoa doente tem um temperamento irritadiço, fica nervosa à toa, queixa-se do barulho, do frio, do calor e assim por diante, escolha Vervain* ou Beech.
2. Se fica quieta e retraída, prefere isolar-se e lidar sozinha com a enfermidade, Water Violet* ou Clematis* talvez sejam os florais mais indicados.
3. Se sente necessidade de atenção, deseja companhia, quer que se compadeçam dela, confortando-a e enchendo-a de mimos, pode ser recomendável o uso de Chicory*, Heather ou Star of Bethlehem.

Esse é só um pequeno exemplo de como a mais simples enfermidade pode ser emocionalmente complexa. O sistema de Bach é explicado de modo mais pormenorizado nos livros *Aplicações Práticas dos Florais de Bach e Florais de Bach, O Livro das Fórmulas* (vide Bibliografia). Volto a frisar que não tratamos os males clínicos:

nosso interesse não é o distúrbio físico, mas sim a pessoa e as atitudes que ela tem. Como preconiza a homeopatia, "trate o paciente, não a doença".

Quem comanda o desfile?

Compreendendo os jogos de poder

É de fundamental importância a compreensão deste capítulo, pois ele pode representar um divisor de águas na sua vida. O seu interesse central é revelar a verdade no que diz respeito aos papéis e jogos que todos nós, em conjunto, desempenhamos. Ele possibilita que atinjamos um grau significativo de consciência e compreensão com respeito aos outros e a nós mesmos; felizmente, isso possibilita um brusco despertar de todos os envolvidos, que tomam consciência da frequência com que outras pessoas "comandam" a sua vida.

Quando formos capazes de perceber o completo significado dessa ideia e começarmos a compreender como todos nós desempenhamos papéis na vida, pela primeira vez o nevoeiro se dissipará e se erguerá o véu, permitindo que vejamos através da cortina de fumaça que mascara a verdadeira personalidade de cada um de nós. Tão logo saibamos e aceitemos quem somos, jamais permitiremos novamente que alguém nos desqualifique. E, então, e só então, perceberemos nossa grandeza e poderemos respeitar nossa individualidade e nosso caráter único. Quando chegarmos a esse ponto, um enorme peso será retirado da nossa alma e, enfim, a liberdade será uma realidade.

Fizemos um apanhado de alguns trechos do dr. Bach, pois ele também percebeu o quanto é importante ser livre, do ponto de vista pessoal, e aceitar as dádivas da liberdade e da soberania oferecidas pelo Grande Criador de todas as coisas.

Citações do dr. Edward Bach

"Ao nascermos, Deus deu a cada um de nós, uma individualidade própria. Igualmente, nos deu uma tarefa em particular, que a cada um compete realizar. Ele nos deu nosso próprio caminho a seguir, no qual nada deve interferir. Vejamos, no entanto, que não só não devemos permitir em hipótese alguma qualquer tipo de interferência, porém, mais importante ainda é que não interfiramos com qualquer outro ser humano. Nisso reside a verdadeira saúde, o verdadeiro servir e o cumprimento de nosso propósito de vida sobre a Terra.

As interferências ocorrem em nossa vida como parte do plano divino. São necessárias para que possamos aprender a enfrentá-las: de fato, podemos considerá-las como adversários úteis, que estão ali somente para ajudar a nos fortalecermos e percebermos nossa divindade e invencibilidade. Podemos também compreender que é apenas quando permitimos que tais interferências nos afetem que elas adquirem importância e tendem a impedir nosso progresso. Depende inteiramente de nós o ritmo em que iremos progredir: se vamos permitir a interferência em nossa missão divina; se aceitamos a manifestação da interferência (chamada doença) e a deixamos limitar e prejudicar nosso corpo; ou, se como filhos de Deus, iremos usá-las para nos firmarmos ainda mais em nossos propósitos.

Podemos nos libertar do domínio dos outros muito facilmente. De início, dando-lhes liberdade absoluta; depois, muito amorosa e suavemente, recusando sermos dominados por eles. Lord Nelson foi muito sábio ao ver além do trivial: "Sem constrangimento ou ressentimento; nenhum ódio e nenhuma indelicadeza. Nossos oponentes são nossos amigos; eles valorizam o jogo; e, no final da disputa, todos nos daremos as mãos.

Não devemos esperar que os outros façam o que desejamos; suas ideias estão certas para eles, e embora sua trilha possa conduzir para uma direção diferente da nossa, a meta no final da jornada é a mesma para cada um de nós. Percebemos que: 'Quando desejamos submeter os outros aos nossos desejos, nos indispomos com eles'.

Somos egoístas quando tentamos controlar e dirigir outra pessoa. Porém, o mundo tenta nos dizer que seguir nossos próprios desejos é egoísmo. Isso porque o mundo deseja nos escravizar; pois na verdade, somente quando podemos atingir e manter íntegro nosso verdadeiro ser é que podemos ser úteis para a humanidade. Esta é a grande verdade de Shakespeare: 'Para que teu próprio ser seja verdadeiro, e isso deve ser seguido como a noite segue o dia, tu não podes ser falso com homem algum'."

(*Os Remédios Florais do Dr. Bach – Cura-te a ti mesmo*, vide Bibliografia.)

Comentário

Na verdade, talvez a vocação de um indivíduo seja devotar sua vida a uma única pessoa, mas antes que o faça, é preciso que esteja absolutamente certo de que se trata de um comando de sua alma, e não apenas a sugestão de alguma outra personalidade dominante ou concepções falsas de dever. É preciso também que nos lembremos de ter vindo a este mundo para vencer batalhas, para ganhar forças contra aqueles que querem nos controlar e para atingir aquele estágio no qual realizamos nosso dever calma e tranquilamente, sem sermos limitados ou influenciados por qualquer outro ser vivo, mas sendo sempre, serenamente, guiados pela voz de nosso Eu Superior.

Para muitas pessoas, a maior batalha será travada em seu próprio lar, onde, antes de alcançarem a liberdade necessária às conquistas no mundo, precisam se libertar do controle e do domínio nocivo de um parente muito próximo.

Muitos dos pacientes que nos procuram têm suas personalidades quase que esmagadas por algum amigo ou parente; em alguns casos é relativamente fácil obter o perfil do paciente por meio do dominador, pois será do mesmo tipo do paciente; novamente é o caso do semelhante repelindo o semelhante, pois somos colocados entre aqueles que têm nossos defeitos de modo acentuado, para que percebamos o sofrimento que tais atitudes podem causar.

O paciente do futuro deve entender que ele, e somente ele, pode trazer para si mesmo o alívio do sofrimento, embora possa obter conselhos e ajuda de um irmão mais velho, que o amparará em seu esforço.

Aqueles que são facilmente dominados adquiriram um débito dobrado. Inicialmente, para com eles mesmos, em virtude de sua falta de coragem; depois, por permitirem a existência do dominador e se deixarem ser postos de lado.

Existe um processo na vida. Nele, alguns assumem a posição de dominadores, outros de dominados, e outros ainda ficam no meio-termo, como pacificadores. Todos nós, vez ou outra, assumimos essas três posturas na vida. No trabalho, podemos desempenhar o papel de dominadores; em casa, podemos ser dominados; e com os filhos podemos ser mediadores. Quando criança, podemos ser dominados, mas, ao nos tornarmos adultos, podemos nos tornar dominadores. Às vezes, trocamos de papel por instinto de sobrevivência, alterando nosso roteiro original.

O conflito começa quando alteramos o fluxo natural, a direção, o anseio da alma para contentar os demais. Depois de estudarmos as citações do dr. Bach, sabemos que, se escolhermos entrar em conflito com nossa alma, pagaremos um preço bem alto; conseguiremos perceber quem realmente somos. Vemos, então, que o conflito está dentro de nós, e não fora. Devemos, portanto, fazer um esforço para aceitar quem somos. Uma vez estabelecida a verdadeira aceitação de quem e do que somos e daquilo que viemos cumprir (nosso destino), ninguém poderá roubar nossa alegria, felicidade ou liberdade. Teremos rompido os grilhões da escravidão de nosso próprio ego e das influências negativas do mundo.

Para maior clareza, separamos os tipos principais de comportamento individual em três categorias:

Os capacitadores-dominados
Os mediadores-pacificadores
Os dominadores-controladores

A diferenciação entre esses três níveis básicos de comportamento ajuda a promover a expansão da consciência e a autoanálise, além de simplificar a escolha do floral de Bach mais adequado. Ela também ajuda a esclarecer a interação de cada papel, e de como eles se expressam em cada área da vida. Perceber o modo como você participa da vida pode ajudá-lo a descobrir se está reagindo a uma programação alheia ou respondendo ao seu roteiro interno.

Os capacitadores podem compreender mais claramente até que ponto os controladores os manipulam por meio do controle, do constrangimento e da tentativa de moldar sua personalidade de acordo com aquilo que desejam. Por toda a vida, começando pelos pais e em todos os relacionamentos subsequentes, os capacitadores se sentiram inadequados, pois não conseguiam corresponder à imagem que os dominadores esperavam deles. Os capacitadores devem perceber que ser diferente não é ser errado. E, quando chegarem à conclusão de que foram criados à imagem ilimitada do Grande Criador, não mais se sujeitarão ao modelo inferior do dominador.

O grupo que necessita de maiores transformações é o grupo dos capacitadores. Ele é frequentemente constituído de pessoas que procuram agradar os outros. São obedientes, conformados, acomodados, relativamente passivos, submissos e taxados de inferiores, vulneráveis e inadequados. Em resumo, são vistos sempre como vítimas. São vítimas das exigências e do controle dos dominadores, estes tidos como tipos abusivos. Eles se aproveitam dos outros mental, emocional e fisicamente. No entanto, podem se tornar vítimas também. Quando resolvem continuar nesse jogo, seu papel pode mudar e se tornar o de um participante ativo e não mais de uma vítima. É hora dos capacitadores aprenderem a lição disponível e batalharem até o fim. Há sempre dois jogadores ativos em qualquer disputa. O palco é feito para os dois. Para cada ação existe uma reação igual e contrária. Não haverá reis se não houver servos. Todos nós nascemos soberanos. Deus sabe que não precisamos de reis; que somos nosso próprio monarca. Os filhos de Israel desejaram um rei; então Deus lhes deu um. Como servos do rei, reclamaram e lamentaram que suas vidas eram governadas por um rei injusto. Eles não perceberam que tudo se devia à sua fraqueza, aos seus medos, à sua timidez e à sua incompetência para tomarem para si a responsabilidade pela própria vida e expressarem suas opiniões, verbalizando sua infelicidade. Quando optamos por reivindicar a nossa liberdade, podemos estar certos de que outro a aceitará.

Os mediadores são aqueles que vivem tentando manter a paz entre os dominadores e os capacitadores. Com frequência se cansam dessa batalha constante e optam pelo esquecimento; uma vida calma distante das lutas.

Os mediadores, normalmente estão muito mais voltados para suas dúvidas internas do que para os conflitos que se desenrolam entre dominadores e capacitadores.

Os dominadores devem perceber o quanto atraíram para si os percalços da vida ao optar por tolerar os capacitadores e, mais adiante, por culpá-los por isso. O grande medo dos dominadores é que, se não controlarem, alguém possa vir a controlá-los física, mental ou emocionalmente. Consequentemente, a única solução é controlar primeiro. Quando essa concepção equivocada é compreendida, os dominadores se libertam, retirando de seus ombros a pesada carga de responsabilidade e permitindo que os outros sejam responsáveis por suas atitudes. Finalmente, aceitam que a única responsabilidade que devem assumir é a de se beneficiar sem prejudicar ou subjugar os outros; que Deus não morreu e nem os elegeu deuses. Os dominadores podem, então, relaxar e se concentrar no comando de suas próprias vidas. Precisam passar mais tempo cuidando da própria vida em vez de se preocupar com os defeitos dos outros.

Segundo John Bradshaw: "A pessoa emocionalmente estagnada está literalmente plena de vontade, ou seja, ela se torna obstinada. A obstinação se caracteriza por uma grandiosidade e um desejo desenfreado de controlar, e é o desastre final ocasionado pela vergonha tóxica. Obstinação é brincar de Deus; é o excesso de vontade de que trata o programa dos doze passos".

De um ponto de vista positivo, é esse inconformismo esperançoso do dominador que induz o capacitador a fazer desabrochar a própria personalidade, de maneira que possa assumir seu lugar de direito neste jogo chamado vida.

E, quem sabe, no final, possamos nos tornar independentes, seguros dos direitos individuais, confiantes, com iniciativa própria e audaciosos. Como disse o almirante inglês Lord Nelson: "Nossos oponentes são nossos amigos; eles valorizam o jogo e, no final da contenda, todos apertaremos as mãos".

Nota

Wild Oat

O dr. Bach usou Wild Oat como uma espécie de panaceia. Ele achava que o fato de uma pessoa não encontrar seu próprio destino e propósito na vida era um componente importante do stress.

"Para aqueles que têm a ambição de fazer algo proeminente na vida, que desejam ter muita experiência e aproveitar tudo o que lhes seja possível para levar uma vida plena.

Sua dificuldade está em determinar que ocupação seguir; embora tenham muita ambição, eles não têm uma vocação que os atraia mais do que qualquer outra coisa. Isso pode causar desânimo e insatisfação.

Bach escreveu ainda: "Uma missão divina significa sacrificar-se, não se afastar da tarefa, recusar os prazeres da beleza e da natureza; pelo contrário, consiste num imenso e total aproveitamento de todas as coisas; significa fazer o trabalho que amamos com a alma e o coração, seja ele uma tarefa doméstica, semear a terra, pintar, servir nosso semelhante no trabalho ou em casa. Esse trabalho, qualquer que seja, se o amamos acima de qualquer outra coisa, é o desejo supremo de nossa alma, a tarefa que temos de desempenhar neste mundo, no qual podemos ser nós mesmos, interpretando de forma material a mensagem do nosso ser verdadeiro. Podemos julgar dessa maneira, com base na nossa saúde e felicidade, o quanto estamos traduzindo essa mensagem".

Rescue Remedy

Não se esqueça de usar Rescue Remedy para relaxar em qualquer situação. Ele é um floral para ser usado como uma panaceia[2].

---

2. Ver Apêndice sobre Rescue Remedy.

Os grupos de personalidades, os Doze Curadores e os florais auxiliares e assistentes

A seguir iremos apresentar um panorama dos três grandes grupos de personalidades com os Doze Curadores e os florais auxiliares e assistentes que poderão compor um buquê de no máximo seis essências num frasco de consumo diário, preferencialmente receitado por um profissional capacitado no uso terapêutico do sistema de Bach.

Os capacitadores-dominados

Esta seção foi feita para auxiliar os capacitadores-dominados a perceberem com mais clareza como os dominadores-controladores os manipularam ao longo da vida toda por meio do controle e da coerção, moldando-os para que se tornassem a pessoa que eles desejavam. Durante toda a sua vida, os capacitadores foram moldados pelos outros; inicialmente pelos pais e, depois, ao escolherem um companheiro que, convenientemente, continuou esse processo de moldagem. Esse chamado "processo de remodelação" dos capacitadores se inicia quando passam a ouvir continuamente, durante toda a vida, que não valem nada, o que os leva a se sentirem totalmente inadequados, não "bons o bastante". Cedo irão aprender que, na verdade, são apenas diferentes; diferentes dos dominadores. Que não foram criados à imagem dos dominadores, mas do Grande Criador de todas as coisas. Uma imagem sem limites, para atingirem, se quiserem, a grandeza pessoal. Mais tarde, os capacitadores irão perceber que seu único erro foi tentar viver segundo as expectativas alheias. A partir de então, eles poderão, com o auxílio dos florais de Bach, começar a curar essa decepção, percebendo quem realmente são.

Pine

Os indivíduos Pine estão sempre dizendo, "Sinto muito" ou "Por favor, me desculpe". Martirizam-se, jamais se sentem bons o bastante e nunca aceitam um elogio pelo seu trabalho. Sempre se desqualificam, dizendo "isso está inaceitável" ou "estou horrível".

Os tipos Pine são uma das primeiras personalidades a optar por um relacionamento abusivo. Esse abuso pode ser físico, mental ou emocional. Em algum ponto de sua trajetória, eles assumiram a necessidade de serem punidos. A punição os ajuda a se sentirem redimidos e bons por persistirem em conviver com o abuso. De algum modo, o abuso os ajuda a se sentirem pessoas de valor novamente. Isso não é tão diferente do que pregam certas "religiões", segundo as quais a pessoa precisa ser castigada ou "expiar" seus pecados antes que possa ser perdoada. Por exemplo, Cristo não foi castigado por um crime que não era Dele? E, no entanto, Ele foi exaltado acima de tudo! Acredito que os tipos Pine se apegaram a essa crença equivocada e, por isso, optam por um relacionamento que preenche suas necessidades.

Crab Apple

Crab Apple é, antes de mais nada, um floral de purificação. Ele depura os sentimentos de culpa e vergonha por algo que alguém pode ter feito ou deixado de fazer. Ele dissipa os sentimentos vagos e indefinidos que provêm de uma culpa projetada por um opressor. Pode também dissipar a sensação de não se sentir muito bem consigo mesmo, o que resulta numa autoimagem ruim. Esse tipo de atitude mental pode atrair um relacionamento problemático. Nós só podemos atrair aquilo que projetamos.

Novos achados trouxeram à luz o fato de que muitas mulheres que não queriam admitir esses sentimentos após terem sido vítimas de estupro usaram Crab Apple para ajudar a eliminar as diversas complicações decorrentes do acontecimento.

Cerato*

As pessoas do tipo Cerato* são os "bobos de amor". Esse floral está indicado para homens ou mulheres que amam demais.

São indivíduos facilmente explorados por uma personalidade dominadora e que têm dificuldade para tomar uma decisão e persistir nela. Por isso, são facilmente influenciados e inclinados a satisfazer os anseios e desejos dos dominadores. Os indivíduos do tipo Cerato* fazem muitas perguntas. Eles querem desesperadamente tomar uma decisão acertada, por temerem a punição caso estejam errados!

Esse é o tipo que cai com facilidade nas mãos dos manipuladores, que prometerão não mais mentir, beber, tomar drogas, abusar etc. É óbvio que serão enganados várias vezes, pois acreditam em suas mentiras.

Para ter firmeza, sabedoria e discernimento, tome Cerato*.

Heather

Os indivíduos do tipo Heather são vítimas de si mesmos. Eles se atolam numa autopiedade autodestrutiva, contando suas aflições para qualquer um que queira ouvi-los. Concentrados no próprio passado, ou presente, ficam trancados, presos num torvelinho emocional. Isso não apenas os prejudica, mas aborrece quem tem que ouvi-los.

Mustard

Os tipos Mustard estão frequentemente deprimidos, numa postura profundamente triste e melancólica. Esses tipos são vítimas constantes de um desequilíbrio do sistema hormonal, que regula o humor sempre que o ciclo da vida está em transição. Tal desequilíbrio é causado por muitos anos de falta de respeito próprio, de autoaceitação ou do respeito de um ente querido para com eles.

Centaury*

Os tipos Centaury* são os chamados "capachos". Falta-lhes vontade própria. Por isso, são facilmente explorados; uma vítima perfeita para os dominadores. São muito sensíveis às necessidades alheias, muitas vezes negligenciando os próprios interesses. Os tipos Centaury* são servos naturais. No entanto, precisam aprender a ser auxiliares voluntários. Precisam aprender a ser "amorosamente firmes" no trato com tipos abusivos, sejam dependentes químicos ou pessoas que abusam deles mental, emocional ou fisicamente.

Olive

Para os capacitadores esgotados pela longa batalha travada contra os abusos dos dominadores; e para pessoas cansadas de serem dependentes de drogas ou de viver com alguém nessa condição.

Oak

A vida dos indivíduos Oak é regrada pelo dever que sentem com relação aos pais, aos filhos, a Deus, ao cônjuge e à sociedade. São

OS GRUPOS DE PERSONALIDADES, OS DOZE CURADORES E OS FLORAIS AUXILIARES

presas fáceis de uma personalidade mais dominadora, que desde cedo os doutrina para serem responsáveis pelos outros.

São tipos muito responsáveis. Aqueles que não querem assumir as responsabilidades pela própria vida, inclusive por seus vícios, facilmente levam vantagem sobre eles.

Oak é necessário quando a vida se tornou uma batalha, uma luta para pagar as contas, para criar os filhos ou para viver com um companheiro aproveitador.

Paradoxalmente, os tipos Oak poderiam ser colocados no grupo dos dominadores, porque são controladores naturais a quem se ensinou, muito cedo na vida, a serem responsáveis. Por essa razão, são muito fortes, e com frequência suportam um fardo extremamente pesado por todos ao seu redor.

Gorse

Gorse é necessário quando a vida deixa de ter brilho. O entusiasmo foi substituído por um olhar de desesperança, que reconhecemos pelos círculos escuros em torno dos olhos. Há uma perda do poder de lutar, de sair do vício, de superar uma condição crônica ou de suportar as dificuldades da vida, de modo geral.

Gorse fortalece e cura aqueles que se entregaram e sentem que foram derrotados pela vida, restando uma única coisa, que é aceitar a derrota e viver com ela. Essa desesperança pode ser relacionada à própria pessoa, à condição de vida ou a uma outra pessoa.

Wild Rose

Wild Rose é ótimo para os capacitadores. Quando se conformam com o pensamento de que jamais irão sair ou se livrar de uma situação, Wild Rose devolve a fé e a felicidade infantis, para que aproveitem a vida sem a seriedade causada pelo stress excessivo.

Wild Rose devolve o entusiasmo, para nos sentirmos vivos, alegres e espontâneos.

Hornbeam

Hornbeam deve ser usado quando nos sentimos fatigados, sem vontade de enfrentar uma situação, como um relacionamento muito estressante, os contratempos da vida de modo geral; ou quando a vida se tornou monótona e estamos cansados de nos aborrecer sempre com a mesma coisa.

Agrimony*

As pessoas do tipo Agrimony* evitam os confrontos e as discussões. Muitas vezes, sofreram abuso na infância e passaram a não expressar suas opiniões por medo de serem castigadas. Muito cedo aprenderam a negar os castigos sofridos para apagar da memória seu passado de torturas. O uso de drogas muitas vezes é uma maneira comum de negar ou tentar acabar com a dor emocional.

Mimulus*

Os indivíduos do tipo Mimulus* são, frequentemente, muito tímidos e envergonhados, ou pelo menos o foram na infância. Falta-lhes a capacidade de lutar por si mesmos. Odeiam os confrontos e questionamentos. Conscientemente ou não, são comandados pelo medo; no caso, o medo da rejeição, de perder um ente amado, mesmo que esse "ser amado" seja alguém que abusa deles.

Mimulus* instila uma coragem serena para nos mostrarmos e falarmos de nossas necessidades e anseios, e para sermos reconhecidos. Ele também nos ajuda a reconhecer o nosso quinhão na vida. Deus nos deu um rosto, uma voz, uma personalidade e uma mente.

Ele não nos deu tudo isso para que fosse abafado pelas exigências de uma personalidade dominadora. Os indivíduos Mimulus* não se bastam e nem lutam por si mesmos. Odeiam os outros por levarem vantagem sobre eles, embora, obviamente, permitiram esses abusos. É preciso lembrar que um tirano não pode existir se não houver servos. Apareça! Tenha coragem! O medo, uma vez enfrentado, é só uma ilusão.

Clematis*

Os indivíduos do tipo Clematis* também são vítimas dos dominadores-controladores. No entanto, fogem para um mundo próprio de sonhos, que substitui a realidade. Permanecem no seu mundo mental e seus pensamentos são seus santuários. Lá, ninguém pode feri-los. Seus relacionamentos são geralmente com pessoas exigentes, muito críticas e perfeccionistas.

Os tipos Clematis* parecem avoados e tem um ar perdido. Podem até responder a uma pergunta, porém nunca nos escutam. Desligam-se das outras pessoas com muita facilidade.

Frequentemente são acusados de serem covardes e inúteis. Permitem que uma personalidade mais incisiva os conduza, dizendo a eles o que fazer, e atendem de boa vontade a todos os desejos dela. Outras vezes ignoram os outros completamente.

São indivíduos muito sensíveis. Podem sentir a dor alheia – as dores do mundo, das plantas e dos animais. Para eles o que existe é uma dor e crueldade difíceis de suportar, e seu único bálsamo é se recolher dentro de si mesmos. Isso acontece muito aos que foram vítimas de maus-tratos. Às vezes, isso acaba gerando uma personalidade dividida que os protege de possíveis abusos.

O floral Clematis* ajuda essas pessoas a permanecer no aqui e agora, aprendendo lições que as ensinem a encarar seu problema (a realidade) num confronto direto, principalmente com aqueles que as querem conduzir.

Use essa maravilhosa mente criativa que Deus lhe deu! Expresse-se! Deixe o mundo conhecer seus pensamentos e anseios. As pessoas, em geral, não conseguem ler pensamentos.

Vine

Os tipos molestadores obviamente não respeitam aqueles de quem se aproveitam, nem a eles próprios. Vine estimula a capacidade de liderança, que exige o respeito das outras pessoas. Estimula também as vítimas a respeitarem a si mesmas, não aceitando mais ser tratadas "pior do que um cachorro".

Red Chestnut

Red Chestnut se destina àqueles que estão sempre preocupados, em particular com os membros da família que porventura estejam no mundo das drogas ou que possam vir a consumi-las. Pensam, por exemplo, se o filho irá voltar para casa em segurança, se os "colegas" não irão assediá-lo para que se vicie ou volte a se viciar etc. Enfim, esse tipo, de modo geral, se preocupa com o bem-estar de algum membro da família.

Willow

Willow é indicado para o ressentimento. Os tipos capacitadores/Willow estão constantemente se queixando de quanto o mundo os tratou mal, levando vantagem sobre eles. Para resolver esse problema, esse tipo deve usar suas energias para assumir as responsabilidades pela própria vida, em vez de guardar ressentimento e culpar os outros pelas suas inseguranças, infortúnios, vícios ou qualidade de vida em geral.

Willow é um bom floral para combinar com Chicory*, pois ambos os tipos costumam culpar os outros por seus problemas, desempenhando o papel da vítima com o bordão "pobre de mim".

Gentian*

Os tipos Gentian* têm pouca fé em suas capacidades, especialmente quando a situação se torna difícil. Perdem rapidamente a confiança, permitindo que um contratempo os abata completamente, desencorajando-os de cumprir a tarefa que têm à mão.

Larch

Larch gera autoconfiança. Esse tipo se sente inferior – "menos que" os outros. Larch lhe dá confiança para se levantar e motivar a si próprio.

Rock Rose*

Rock Rose* estimula a coragem e o destemor para abrandar o pânico e o terror diante do destempero dos dominadores-controladores. Rock Rose* nos dá coragem para sairmos sozinhos de uma situação, para enfrentarmos um divórcio, a solidão ou a vida em geral. Segundo o dr. Bach, Rock Rose* estimula a liberdade mental.

Scleranthus*

Scleranthus* atua principalmente sobre a capacidade de tomarmos decisões. É muito útil quando precisamos decidir, por exemplo, se queremos ir ou ficar, desistir ou continuar, nos divorciar ou continuar casados.

Elm

Elm ameniza a sensação de opressão originária de um sentimento de inadequação, de não ser bom o bastante. Quando a vida se tornar um fardo excessivo, não se esqueça de Elm.

Sweet Chestnut

Sweet Chestnut é para as ocasiões em que os embates da vida nos levaram a um beco sem saída, deixando-nos totalmente impotentes. É muito útil, principalmente, quando estamos envolvidos com alguém viciado em drogas, que esteja também no "fim da picada", mental, física, emocional ou quimicamente.

Walnut

Walnut auxilia na proteção contra indivíduos insolentes e autoritários. Walnut cria uma "zona neutra" onde podem se refugiar os que necessitam de proteção contra influências externas. Walnut ajuda qualquer pessoa a se adaptar a um novo começo, como se manter longe das drogas, depois de um tratamento de reabilitação, ou seguir adiante sem um antigo relacionamento etc.

Aspen

O floral Aspen é necessário quando a pessoa tem medo de ser ferida ou perseguida por alguém que lhe inflige maus-tratos cotidianamente. Esse tipo de medo é muitas vezes vivido pela esposa ou filho que espera o marido ou o pai viciado voltar para casa depois de uma noitada. A vítima permanece acordada, incapaz de dormir, temendo a volta da pessoa em questão.

Chicory*

Chicory* auxilia o dominado a sair do relacionamento amor/ódio que muitas vezes acompanha os viciados. Esse floral instila o amor sem apegos, e dá liberdade a ambas as partes. O amor perfeito é a liberdade incondicional.

Chestnut Bud

Chestnut Bud ajuda os capacitadores a aprender as lições da vida, para que não precisem mais passar por elas. Esse floral rompe maus hábitos, como o uso de drogas ou de cigarros, a tendência para atrair sempre o mesmo tipo de pessoa (errado) ou desempenhar sempre o papel da vítima. Use Chestnut Bud sempre que estiver incorrendo no mesmo erro.

White Chestnut

White Chestnut interrompe os pensamentos que ficam girando na mente e prejudicam a concentração. É um floral particularmente útil após uma discussão ou antes de algum evento futuro que esteja ocupando os pensamentos.

Os mediadores-pacificadores

Os mediadores em geral são ignorados, postos de lado. São indivíduos pacificadores. Tentam acabar com o conflito entre dominadores e capacitadores. São as pessoas que detestam brigas e discussões, das quais procuram fugir, ou que são prejudicadas por elas. Os mediadores, muito frequentemente, aprendem a não interferir na interminável batalha entre os dois grupos, optando, finalmente, por se concentrar apenas em seus próprios conflitos e decisões. Seu maior problema é a dificuldade que têm para chegar a uma decisão, seja ela grande ou pequena, o que faz com que fiquem parados no meio do caminho.

Agrimony*

Os indivíduos do tipo Agrimony* são aqueles que não demonstram suas emoções e são incapazes de expressar seus mais íntimos pensamentos. Devido a essa incapacidade para discutir seus problemas, acabam sendo torturados por seus pensamentos. Com frequência acabam cultivando algum tipo de hábito ou vício para abrandar sua angústia. Essa tortura pode vir desde os tempos da infância. No entanto, exteriormente, nunca se queixam; aparentam até alegria e felicidade. Depois de algum tempo, em vez de admitir que têm um problema, criam outro. Os tipos Agrimony* frequentemente negam que exista um problema. O primeiro passo para uma recuperação é admitir que existe um problema.

Os indivíduos do tipo Agrimony* odeiam discussões, por isso se retraem sempre que se defrontam com uma discussão acalorada ou qualquer argumentação. Em virtude de sua ojeriza por altercações, tornam-se eternos piadistas, usando o humor para encobrir a raiva ou seus problemas.

Scleranthus*

As pessoas de personalidade Scleranthus* são muito indecisas. Em geral ficam paradas no meio do caminho (e esse comportamento muitas vezes se inicia na infância).

Walnut

Walnut é especialmente indicado para períodos de transição, isto é, que exigem uma adaptação. Por exemplo, após uma separação ou durante a reabilitação do uso de qualquer tipo de droga etc. Walnut cria uma "zona neutra", que permite um distanciamento durante a separação e o processo de ajuste.

Water Violet*

As pessoas de personalidade Water Violet* são em geral muito reservadas. Não incomodam os outros e cuidam de seus assuntos sem a ajuda de ninguém. Os Water Violet* são "pensadores". Dão um conselho se lhe pedem, mas normalmente não emitem suas opiniões.

São tipos que suportam sozinhos suas dificuldades, inclusive quando estão doentes. São pessoas pesarosas. Esse pesar pode ser causado pela perda de um ente querido, por opções de vida malsucedidas ou pelo fato de sentirem as dores do mundo, causadas pelas atrocidades da vida.

Star of Bethlehem

Star of Bethlehem é o "consolador das tristezas". Use esse floral se estiver convivendo com um dependente de drogas ou para a solidão, após uma separação ou rompimento de um relacionamento afetivo.

Star of Bethlehem se destina a todas as formas de trauma ou perda.

Honeysuckle

Os tipos Honeysuckle vivem nostalgicamente seus amores e sucessos do passado. Suas vidas pararam no meio do caminho, em algum lugar entre o ontem e o hoje.

Clematis*

O sensível Clematis* é capaz de contemplar dois pontos de vista. Como é muito criativo, pode ser um relações-públicas nato. Quando fica estressado, porém, ele se retira para um "lugar seguro", a meio caminho entre a fantasia e a realidade.

Os dominadores-controladores

Esta seção ajuda os dominadores a perceber o quanto eles se desgastam ao se responsabilizarem pelos capacitadores-dominados e ainda culpá-los pelo stress adicional em suas vidas. O grande medo dos dominadores é serem controlados, emocional, mental ou fisicamente, por alguém ou alguma coisa, se não estiverem no controle total. Eles acham que a única solução é controlar para não serem controlados. Quando se dão conta dessa concepção equivocada, os dominadores se libertam, tirando a carga de responsabilidade de cima dos ombros e permitindo que os outros se responsabilizem por suas próprias ações. Por fim, aceitam que o único controle que precisam assumir é aquele que beneficia a eles mesmos.

Os controladores devem perceber também o quanto são cruéis com aqueles que não têm capacidade de liderança, fazendo-os se sentirem inferiores. Eles precisam ser mais compreensivos com as pessoas mais "gentis", que com frequência são nossos grandes inventores, indivíduos afetuosos, criativos, sem os quais a vida seria um lugar frio e inóspito.

Chicory*

A personalidade do tipo negativo Chicory* é manipuladora. Essa manipulação pode ser expressa física, mental ou emocionalmente. Por exemplo, esses indivíduos podem se lamentar, fazendo acusações, chorando alto, usando o silêncio ou batendo portas para infligir culpa na outra pessoa.

São aqueles que distorcem o que foi dito para fazer o outro se sentir o errado. "Você me deixa louco, e por isso eu tenho que sair e me embebedar" ou "dormir com uma outra pessoa", ou "ultrapassar o limite do cartão de crédito". Esses indivíduos usam todo tipo de desculpa para continuar com seu vício.[3]

Os indivíduos Chicory* são muito possessivos, particularmente com os que amam. Na verdade, eles tratam as pessoas amadas como propriedade deles. Para eles em geral é um peso e duas medidas. Não veem nada de errado em saírem todas as noites, mas se o companheiro quiser fazer o mesmo, eles contestam. Gostam de controlar os filhos, dizendo-lhes como devem proceder na vida. No entanto, aqueles que tratam os outros como uma propriedade deles acabam sendo tratados da mesma maneira.

São tipos que precisam de um relacionamento estimulante. São atraídos por um tipo dominador. Talvez alguém que os queira dominar lhes dê uma sensação de segurança. Esse é o relacionamento amoroso típico dos indivíduos Chicory*. É o relacionamento afetivo mais difícil de ser rompido, pois ambos têm o mesmo tipo de personalidade, com uma leve diferença. Isso porque "semelhantes repelem semelhantes". Como disse o dr. Bach: "Somos colocados entre os que apresentam os defeitos de modo marcante, para que possamos perceber o sofrimento que as atitudes adversas causam". Resumindo, as duas partes envolvidas podem usar Chicory* numa combinação de florais.

---

3. Chicory* está mais relacionado ao tipo abusivo de viciado. Por exemplo, alcoólatras que se tornam agressivos e encrenqueiros.

A virtude de Chicory* é o amor não egoísta; o amor perfeito, impessoal, que todos precisamos atingir. A perfeita compreensão. Que bom será quando todos nós atingirmos esse estado de ser.

A liberdade é a maior dádiva. Liberdade para "dirigirmos bem ou mal nossa própria vida" (Edward Bach).

Vine

Os tipos controladores/Vine acham que estão acima das outras pessoas. São os que ditam as regras. Quando um tipo Vine fala, ele não espera ser contrariado; sua palavra é lei. Ele dá ordens e não pede, a menos que se defronte com alguém tão duro e obstinado quanto ele.

O tipo Vine negativo acha que Deus não deu cérebro a mais ninguém; ele é que deve pensar por todo mundo. Contudo, dentro de cada um de nós existe um líder – o líder que é a nossa alma. Enfrente esse tipo e logo você conseguirá o seu próprio respeito e o respeito da personalidade negativa Vine também.[4]

Holly

Holly libera emoções negativas tais como raiva, ciúme, ódio, despeito. Holly é, portanto, indicado para o ciúme e a raiva do tipo Chicory*.

Visto que Holly libera emoções negativas, pode acontecer de haver um "extravasamento" dessas emoções, como, por exemplo, uma explosão de raiva.[5]

---

4. Veja Vine na seção sobre os capacitadores.
5. Ver capítulo sobre os florais reativos.

Oak

Os tipos Oak tomam as tarefas para si, não importa onde estejam. Desde cedo, foram ensinados a trabalhar duro e a serem responsáveis.

A qualidade positiva de Oak consiste numa poderosa capacidade para suportar as pressões da vida e erguer-se sobre os próprios pés. Em resumo, ser mais responsável pelas próprias atitudes, pagando o preço pelas próprias ações.

Cherry Plum

Cherry Plum é um floral que estimula o controle necessário para lutarmos contra os vícios. Ele aumenta o autocontrole diante das drogas, controla a histeria e a atitude de abusar de si mesmo e dos outros. O tipo Cherry Plum é capaz de cometer suicídio ou cair numa depressão suicida.

Willow

Willow é indicado para o ressentimento. Os tipos Willow estão constantemente se queixando de quanto o mundo os tratou mal, levando vantagem sobre eles. Para resolver esse problema, esse tipo deve usar suas energias para assumir as responsabilidades pela própria vida, em vez de guardar ressentimento e culpar os outros pelas suas inseguranças, infortúnios, vícios ou qualidade de vida em geral.

Willow é um bom floral para combinar com Chicory*, pois ambos os tipos costumam culpar os outros por seus problemas, desempenhando o papel da vítima com o bordão "pobre de mim".

Chestnut Bud

Chestnut Bud rompe os hábitos de qualquer espécie: drogas de um modo geral, tabagismo, tendência para atrair sempre o mesmo tipo negativo de pessoa.

O dominador deve aprender a romper o hábito de interferir nos assuntos alheios.

Vervain*

Os indivíduos do tipo de personalidade Vervain* também são dominadores. Podem ser muito exigentes, dominadores e incisivos. Imaginam que seu modo de ser é o mais certo e adequado para todos. Para eles, tudo é preto no branco, bom ou mau.

Impatiens*

Os tipos Impatiens* negativos são exatamente assim: impacientes! Pessoas impacientes sempre acham que precisam apressar as coisas. O que eles não percebem é a crueldade da pressa.

Por serem impacientes, não percebem o quanto fazem se sentir inferiores aqueles que não conseguem bons resultados tão rapidamente quanto eles.

Beech

Indivíduos do tipo Beech estão sempre criticando as pessoas por suas inadequações. Acham que é seu dever ficar chamando a atenção dos outros por suas falhas. As pessoas Beech são perfeccionistas. Controlam, por meio de sua atitude crítica, as "deficiências" das outras pessoas. Acham que são melhores do que os demais.

O floral Beech funciona muito bem quando combinado com Impatiens* ou Vervain*. O primeiro é um crítico natural e vive depreciando as capacidades dos outros. O outro tende a se achar "especial", com o direito de dizer a todos como devem viver suas vidas.

Rock Water

Os indivíduos Rock Water vivem de acordo com regras, muitas vezes baseadas em crenças religiosas. Rock Water não tem fluidez na vida e conduz tudo com mão de ferro.

Os Rock Water precisam aprender que as regras são somente diretrizes para inspirar a individualidade, e permitir, dessa maneira, que os outros sigam seu próprio caminho.

Os Rock Water são também muito teimosos e presos ao seu jeito de ser. Isso inclui hábitos alimentares ou o modo como gastam seu dinheiro ou educam os filhos.

O tipo Rock Water pode ser reconhecido pela sua estrutura rígida e empertigada. Aparentam ser extremamente inflexíveis e quebradiços, como se não conseguissem se curvar.

Parte II
Integração dos florais de Bach ao programa de doze passos

Para implementar os florais de Bach num programa de doze passos, leia esta seção e escolha na lista a essência que se aplica à emoção ou ao sentimento que está sendo vivenciado.

Passo 1

Esta é a fase em que admitimos que nos sentimos impotentes diante do vício – que nossa vida se tornou incontrolável.

Gorse

Gorse nos infunde esperança. A esperança necessária quando sentimos que é impossível abandonar o álcool. O tipo Gorse muitas vezes tem olheiras escuras, como se não houvesse luz ou uma centelha ali dentro, mas apenas o vazio da alma.

Agrimony*

Para aquele que evita; para a negação. Agrimony* ajuda a pessoa a admitir e enfrentar o problema.

Scleranthus*

Scleranthus* estimula a tomada de decisão (Inteligência Superior) e infunde a capacidade de manter a decisão de continuar no programa, sem vacilar.

Rock Water

Rock Water abranda as pessoas teimosas que têm seu próprio código de regras (abusando de si mesmas e dos outros) e dificuldade para ouvir novas ideias; elas em geral dizem, "Estou bem, não preciso da ajuda de ninguém".

Mimulus*

Mimulus* é o remédio para o medo. Use Mimulus* quando quiser abandonar qualquer tipo de vício em drogas e para aprender a viver sem essa "muleta". O tipo Mimulus em geral apresenta um medo que abrange o medo da mudança, do desconhecido, de viver sem o vício e de não conseguir derrotá-lo. Muitas vezes o medo básico oculto é o medo do abandono.

Heather

O floral Heather cura a solidão de não ser ouvido. A solidão de ser um nada, de ser ignorado. O tipo Heather clama por atenção; porém, ele pouco ouve. Resumindo, Heather em combinação com Mimulus* preenche o "buraco", o vazio.

Holly

Holly é necessário quando se necessita de mais amor. Quando uma pessoa decide entregar-se às drogas, isso está indicando uma necessidade maior de amor.

Star of Bethlehem

Star of Bethlehem é o floral do consolo. O consolo necessário quando nos sentimos sós, com a necessidade de nos sentirmos abrigados nos braços do Amor.

Willow

Willow dissolve o sentimento de decadência, quando se tem de deixar um hábito nocivo. O sentimento de privação de "seu melhor amigo". Willow ainda cura o ressentimento pelo fato de os outros poderem beber e da impossibilidade de acompanhá-los. Que injustiça!

Crab Apple

Crab Apple é um depurador de toxinas, inclusive do acúmulo de toxinas provocado pelas drogas. Crab Apple também limpa as toxinas mentais e emocionais.

Walnut

Walnut ajuda a pessoa a se adaptar aos períodos de transição. Por exemplo, a viver sem a droga.

Chestnut Bud

Chestnut Bud rompe padrões habituais, quando se repete sempre o mesmo erro. Inclui-se aí o vício das drogas, quando a pessoa recai no vício várias e várias vezes.

Cherry Plum

Cherry Plum devolve o controle ao Poder Superior. Esse floral confere a presença de espírito necessária para reconquistar o controle e a posse de si mesmo, superando o vício em vez de ser dominado por ele.

Centaury*

Centaury* aumenta a força de vontade. A vontade para dizer "não" à droga que vicia.

Oak

Use Oak se a vida se tornou uma batalha ou se deixar o vício tornou-se uma verdadeira luta e manter-se longe da droga ou do álcool demanda um esforço incalculável.

Scleranthus*

Scleranthus* confere sabedoria e discernimento. Sabedoria para permanecer no "caminho", ouvindo seu Eu Superior ao reencontrar seus "antigos companheiros de vício", que desejam levá-lo à autoindulgência.

Chicory*

Chicory* infunde o amor não egoísta, abrindo uma passagem estreita por onde se possa receber Amor do Poder Supremo. Floral muito útil quando se é incapaz de deixar de lado alguns hábitos, amigos ou a droga que vicia. Chicory* ajuda a pessoa a se libertar do vício e de velhos padrões.

Sweet Chestnut

Use Sweet Chestnut quando estiver num beco sem saída, encurralado. Quando estiver passando por uma crise do tipo "Não posso passar mais nem um minuto sem um trago"; quando a angústia for total. Sweet Chestnut é o melhor remédio num processo de desintoxicação.

Impatiens*

Impatiens* acalma a ansiedade e o nervosismo que acompanham a tentativa de abandonar um vício qualquer.

Wild Rose

Wild Rose alivia a apatia, trazendo de volta a primavera para o nosso caminho. Wild Rose desperta novamente em nós a fé pueril de acreditar nas coisas, permitindo uma vez mais que a vida seja alegre e livre de responsabilidades.

Gentian*

O floral Gentian* ajuda a evitar os períodos de recaída. Por exemplo, quebrar a promessa de ficar longe da bebida. Gentian* aumenta a fé para prosseguir e superar as situações estressantes da vida.

Mustard

Deveríamos pensar em Mustard quando tivermos a sensação de que uma nuvem negra paira sobre a nossa cabeça. A sensação de uma tristeza iminente na qual a escuridão é total. Mustard é indicado quando o desejo de satisfação é muito intenso devido a flutuações hormonais.

Rescue Remedy

Rescue Remedy é sempre bom para relaxar em qualquer circunstância. É, por assim dizer, uma panaceia[1].

Passo 2

Nesta fase chegamos a crer que um poder maior pode nos devolver o bom senso.

Cherry Plum

Devolve o controle e o bom senso.

Chicory*

Chicory* estimula o amor desprendido, que tudo pode curar.

Holly

O folclore diz que Holly traz o Espírito Santo. O floral é indicado quando existe mais necessidade de amor.

Star of Bethlehem

Este floral é como braços confortando e trazendo paz.

Passo 3

Quando tomamos a decisão de dirigir nossa vontade e nossa vida para Deus, assim que O compreendemos.

---

1. Ver Apêndice sobre Rescue Remedy.

Clematis*

Quando estamos tropeçando e arrastando os pés. Para os que "empurram a situação com a barriga".

Centaury*

Aumenta a força de vontade.

Chicory*

Para deixar ir, seja o hábito, o vício ou o apego.

Cherry Plum

Devolve o controle da vida a Deus.

Passo 4

Nesta fase fazemos um retrato sucinto, uma retrospectiva e uma pesquisa sobre nós mesmos. A verdadeira aceitação. A estrada da verdadeira felicidade.

Mimulus*

Uma das maiores dificuldades que enfrentamos na vida é a necessidade que temos da aprovação dos outros e o medo da rejeição.

Mimulus* nos ajuda a perceber que ser diferente é normal; que é uma honra ser único e especial. Se nos consideramos iguais aos outros, assim o seremos! Aproveite essa unicidade, e a dádiva maravilhosa que você é! Aquele "um em um milhão" que é você!

Mimulus* infunde coragem para permanecermos fiéis a nós mesmos enquanto tentamos atingir nosso verdadeiro destino. Mimulus* nos dá coragem para "concordar discordando", mantendo a firmeza, sem desqualificar ninguém.

Larch

Larch instila confiança e dissipa a sensação de ser "menos que" ou "não tão bom quanto" o outro. Você sabe que é tão bom quanto a outra pessoa; então, o que está esperando?

Gentian*

Os tipos Gentian* desistem facilmente sem lutar. Põem o rabo entre as pernas, admitindo a derrota. Não existe fracasso; apenas algo incompleto. O fracasso dispara o gatilho da sensação de ser "menos que". Nesses casos, tome Gentian*.

Pine

Você não é responsável por todos os problemas do mundo! Não precisa ficar se desculpando nem se punir por existir. Tenha respeito por quem você é: nem mais nem menos do que os outros.

Crab Apple

Crab Apple é um floral de depuração; neste caso, para limpar a culpa emocional da vergonha. Passado é passado; livre-se da bagagem extra tomando Crab Apple.

Para nos aceitarmos, precisamos aceitar tanto os nossos fracassos quanto as nossas vitórias. Não deixe que uma "velha culpa" impeça-o de alcançar a vitória na sua jornada rumo à grandiosidade.

INTEGRAÇÃO DOS FLORAIS DE BACH AO PROGRAMA DE DOZE PASSOS 73

Beech

Beech acentua o positivo. Para continuar num círculo de crescimento, procure ver o positivo em cada situação, pessoa, lugar ou coisa. Veja o mais elevado potencial dos outros assim como imagina o seu.

Willow

Willow dissipa os ressentimentos. Não podemos sentir uma felicidade genuína quando estamos envenenados pela emoção negativa do ressentimento, especialmente o ressentimento com relação às coisas boas que os outros têm, que nos dá a sensação de termos recebido menos do que merecíamos. Quando temos essa sensação, nós nos sentimos menos que os demais. Você também é especial. Cumprimente-se em vez de desperdiçar energia ressentindo-se dos outros.

Holly

Holly é indicado quando há necessidade de mais amor e autoaceitação. No caso, a falta de consideração por quem você é; uma sensação de ser inferior, do ponto de vista mental, físico ou emocional. No mundo de hoje existe uma ênfase muito grande na aparência. Isso pode causar uma verdadeira falta de autoaceitação, um sentimento de "não ser bom o bastante". Disso resulta a necessidade de ser mais magro, mais bonito, musculoso, mais atraente de modo geral. O corpo, no entanto, é apenas um envoltório do que realmente somos. A beleza é a da alma, da personalidade, do espírito. Ame-se. Se os outros não o amam, então você deve amar quem é. O sentimento de ser "menos que", por qualquer motivo, pode dar origem a todo tipo de emoções negativas, inclusive ódio contra si mesmo, pesar e autodestruição.[2]

Chicory*

Chicory* é o professor do amor generoso, incondicional, e da liberdade com relação aos outros. A liberdade perfeita: de falar, pensar e amar como desejamos. Uma verdadeira aceitação e respeito pelo indivíduo.

Vine

Vine reacende qualidades latentes de liderança. Estimula um ar de "respeito", levando as outras pessoas a nos notar. Esse floral ajuda quando os outros manifestam seu respeito e admiração por suas conquistas ou apenas por você ser quem é.

Ser um líder de si mesmo é um passo gigantesco rumo à autoaceitação. Todos nós nascemos para sermos os reis do nosso próprio destino.

Centaury*

As pessoas Centaury* se atrasam ajudando os outros. Perdem sua identidade. Por exemplo, quando são apenas a "esposa" ou a "mãe" de alguém. Tais pessoas ficam perdidas quando seus serviços não são mais necessários; a partir de então elas deixam de existir. Centaury* reconstrói sua vontade pessoal e as ajuda a reconhecer que elas têm uma importância vital para a vida e para elas mesmas.

---

2. Ver a seção sobre florais reativos.

Cerato*

Os tipos Cerato* são muito indecisos e aparentam ser igualmente dispersos. Mudam de ideia no intuito de chegarem à melhor solução. Eles querem apenas que tudo dê certo. A palavra-chave para Cerato* é "bobo", que é como eles se sentem quando sabem o que os outros pensam dele. Tome Cerato* e torne-se alguém firme, não se sentindo mais um bobo.

Chestnut Bud

Chestnut Bud serve para rompermos velhos hábitos. Ele eleva nosso nível de atenção para aprendermos as nossas lições de vida na primeira vez em que elas se apresentam, em vez de ficarmos recriando situações e cometendo os mesmos erros várias vezes. Por exemplo, quando precisamos romper o hábito de permitir que os outros nos critiquem, ou de nos diminuirmos, nos martirizarmos repetidas vezes, por não vivermos segundo as expectativas dos outros.

Reconhecendo a autodestruição

Water Violet*

Os tipos Water Violet* são muito calmos e têm o hábito de se afastar da realidade. Normalmente vivem sozinhos, são solitários e lhes falta alegria. O pesar é a emoção destrutiva subjacente. Esse sentimento pode ter sido causado pela perda de um ente querido, tanto por separação quanto por morte.

Existe um nível profundo de pesar que é a tristeza da alma. Trata-se do pesar que a pessoa sente, desde a infância, por não cumprir a missão de sua alma. Seu destino está desatualizado; a vida apenas passa; a pessoa não vive, apenas existe. É hora de escrever a própria história! Trazer a alegria de volta à vida. Começar um projeto que a faça se sentir viva, sair da reclusão e agir.[3]

Wild Rose

Wild Rose reverte a emoção destrutiva que se chama apatia. Trata-se da sensação de tédio provocada pela monotonia do dia a dia. Wild Rose desperta a espontaneidade tão necessária nos relacionamentos, no trabalho e na vida de modo geral. Wild Rose estimula a espirituosidade, a alegria e o prazer infantil de viver. Certa vez, um homem disse: "Eu escolheria a guerra em vez da apatia. Ao menos teria a sensação de estar vivo, uma causa pela qual lutar".

Gorse

Gorse é um floral para a desesperança. Esse tipo de estado emotivo frequentemente é causado por uma doença crônica, a cronicidade do vício ou uma situação de abuso na infância. Essa desesperança afeta o corpo até o nível físico, o que é evidente quando causa mudanças na aparência, como olheiras profundas ou um aspecto pálido e macilento.

Isso também é uma indicação e um aviso sobre a gravidade e intensidade de uma doença. A desesperança chegou às profundezas dos tecidos, ou seja, a ferida emocional da desesperança atingiu o corpo físico.

Se houver algum sinal de envenenamento, também é hora de se usar Gorse.

---

3. Ver seção sobre os florais reativos.

Sweet Chestnut

Sweet Chestnut ajuda a aliviar a emoção destrutiva da angústia. Esse floral tem o poder de nos resgatar das profundezas do inferno, quando atingimos o fundo do poço. Quando sentimos que não podemos mais suportar a vida e atingimos o limite da nossa resistência. Sweet Chestnut é excelente para se usar durante o processo de desintoxicação.

Chestnut Bud

Chestnut Bud muda os padrões destrutivos dos maus hábitos. O vício das drogas, o tabagismo, a tendência para atrair sempre o tipo errado de pessoa. Chestnut Bud nos ajuda a aprender a lição da primeira vez, em vez de ficar repetindo o mesmo erro diversas vezes. Use Chestnut Bud sempre que houver a sensação de se estar preso num atoleiro.

Honeysuckle

Honeysuckle ajuda a curar as emoções destrutivas provocadas pelo prazer em relembrar o passado, que não pode ser modificado. Quando se fica muito preso às lembranças e se desiste da possibilidade de um dia atingir novamente o sucesso ou a felicidade. O problema pode estar relacionado com o trabalho ou com um relacionamento. Esse estado mental impede a produtividade e provoca uma falta de movimentação, o que resulta na estagnação.

Cherry Plum

O floral Cherry Plum limita os impulsos destrutivos da pessoa que comete abusos (físicos, mentais ou emocionais) e devolve o controle ao Poder Supremo. Cherry Plum traz de volta o controle ao tipo histérico, capaz de prejudicar os outros e a si mesmo, chegando até ao suicídio.[4]

Pine

Pine cura a emoção destrutiva da culpa autoimposta e da vergonha de si mesmo. Os tipos Pine são muito esforçados e martirizam-se quando não recebem um reconhecimento à altura das próprias expectativas. Carregam a culpa pelas falhas alheias, dizendo, por exemplo: "É por minha culpa que meu marido bebe", "É minha culpa meus pais se separarem". Frequentemente, escolhem parceiros do tipo abusivo, que ajudam em seu processo de autopunição, pois de alguma forma eles as fazem se sentir pessoas melhores por suportarem a dor da expiação de seus pecados.

Crab Apple

Crab Apple libera a emoção destrutiva da culpa e da autoimagem ruim. Esse tipo de culpa é provocado por um erro cometido ou pelo fato de a pessoa se sentir impura ou indigna. É "a vergonha que amarra".

Centaury*

Os indivíduos Centaury* são aqueles que vivem agradando aos outros. Sua autodestruição está no fato de se desdobrarem para dar assistência às outras pessoas e, por conseguinte, perderem a própria identidade, na tentativa de atender às exigências alheias.

---

4. Ver seção sobre os florais reativos.

Chicory*

Fica evidente o tipo de destruição de Chicory* quando ele fica "possuído" pelas próprias possessões. Os tipos Chicory* são os mestres da manipulação, e sua mais destrutiva atitude é o amor egoísta, que usurpa dos outros a liberdade de escolha. Os tipos Chicory* muitas vezes são viciados em drogas.

Agrimony*

O floral Agrimony* oferece paz à mente torturada. Esse tipo se destrói mantendo em segredo algo que acredita ser muito reprovável. Ele se envergonha da própria vida e procura manter suas emoções bem guardadas, por se sentir incapaz de falar sobre seus problemas. Os indivíduos Agrimony* com frequência são aqueles que buscam as drogas ou o álcool no intuito de entorpecer, acalmar ou aliviar a tortura interior causada pelos pensamentos relacionados ao passado.

Red Chestnut

Red Chestnut propicia uma atitude positiva às pessoas que se preocupam constantemente com seus entes queridos. As preocupações são tão prejudiciais para quem se preocupa, como para os que são o objeto delas, pois elas são um pensamento negativo projetado sobre a pessoa com quem nos preocupamos. As preocupações são os pais do "poder de sugestão". Infelizmente, seu poder só é canalizado para o lado negativo das coisas.

Willow

A face destrutiva de Willow é o ressentimento.

Holly

O lado destrutivo de Holly é a raiva, o ódio. A causa subjacente é a necessidade de ser amado, notado, aceito. Holly alivia o medo de que essas necessidades pessoais não sejam preenchidas.

Mustard

Mustard dissipa a nuvem negra e destrutiva da depressão. Esse tipo de depressão, típico das flutuações hormonais, caracteriza-se pela mais completa escuridão.

Rock Water

Rock Water abranda pessoas muito rígidas e sérias. A força destrutiva da rigidez excessiva despe a vida de sua alegria. Essa maneira de ser acaba causando rigidez no corpo físico.

Medo da autoridade

Rock Rose*

Rock Rose* simboliza a coragem intrépida. Seus opostos são as emoções negativas do pânico e do terror, presentes muitas vezes em crianças aterrorizadas pelos pais. O terror e o pânico afloram quando a pessoa é confrontada com uma figura autoritária. Segundo o dr. Bach, Rock Rose* estimula a liberdade mental.

Aspen

O medo de Aspen é mais uma "antecipação" do medo. Por exemplo, o medo da possibilidade de ser perseguido por uma figura autoritária. Esse é um tipo de medo que pode causar insônia.

Mimulus*

Mimulus* é para os medos profundamente arraigados desde a infância. No entanto, os medos de Mimulus* são mais internalizados; são medos secretos, não tão evidentes quanto o pânico de Rock Rose*.

Obs.: Se houver indecisão entre Rock Rose* e Mimulus*, espere um pouco e observe as palavras que a pessoa usa para expressar seus medos. Se ela usa expressões como "Entro em pânico só em ter de falar com meu chefe ou com meus pais", isso indica Rock Rose*; se o medo é mais reservado como "Não quero falar com meu chefe ou com meus pais; isso me amedronta", o caso é para Mimulus*.

Walnut

Os tipos Walnut são extremamente influenciáveis e necessitam de proteção. Walnut confere um escudo de proteção contra as influências mentais ou emocionais ameaçadoras de uma figura autoritária. Assim, Walnut faz com que a pessoa se sinta energeticamente forte para enfrentar tipos abusivos.

Cerato*

O floral Cerato* instila sabedoria e discernimento. No entanto, esse tipo negativo é muito indeciso e busca o conselho de todo mundo. Essa dificuldade para decidir por si mesmo faz dela a vítima perfeita de uma figura autoritária. Cerato* tem o ímpeto de protestar, mas não é resoluto o suficiente para ir adiante.

Larch

Uma figura autoritária ressalta ainda mais o sentimento de inferioridade do tipo Larch, convencendo-o facilmente de sua capacidade de falhar. Larch propicia a confiança necessária para a pessoa encarar qualquer pessoa ou situação. Ele confere energia para que a pessoa tenha um impulso próprio, ajudando-a perceber o potencial individual, sem a necessidade de a figura autoritária dar ordens e conselhos ou demonstrar sua aprovação.

Willow

Sempre surge um ressentimento quando alguém sente que de algum modo foi prejudicado por uma figura autoritária. Willow ajuda a pessoa a ser mais responsável pelas próprias emoções e atitudes, a perceber que ela é a única pessoa que precisa mudar. Willow ensina a usar toda a sua energia de maneira positiva, em vez de desperdiçá-la com críticas e ressentimentos, por se sentir privada de seus direitos. Frequentemente, os tipos Willow se tornam críticos, pois, desse modo, se aproveitam dos outros para receberem a compensação pelos seus sofrimentos. E assim, a saga continua, geração após geração. Tome Willow e dissipe o ressentimento antes que ele cause alguma outra disfunção (sua Criança Interior).

Chicory*

O tipo Chicory* é naturalmente uma figura autoritária. Esse floral inspira o amor não egoísta, o maior poder que existe. Entretanto, se esse poder for usado de maneira equivocada, pode ser o mais destrutivo e manipulador de todos. Tome Chicory* para criar uma resistência contra o poder egoísta e negativo dos tipos autoritários. Logo, a sua influência, pela vibração que irradia Chicory*, promoverá a correção do desequilíbrio do tipo autoritário. Logo ele colherá os benefícios.

Vine

Nos tímidos, Vine ajuda a trazer à tona as capacidades de liderança latentes em cada um de nós. Vine também traz à superfície um ar de respeitabilidade. Os outros não serão tão rudes com quem lhes inspira respeito nem pensarão em se aproveitar dessa pessoa. Uma figura de autoridade só respeita outra figura semelhante. Porém, armado com Vine, você também poderá projetar uma imagem de respeito e autoridade.

Vervain*

O floral Vervain* promove a justiça, e por ela ser a tônica do tipo Vervain*, ele ajuda a pessoa a expressar verbalmente suas opiniões.

Se você precisa lutar por seus direitos e acha que sofreu muitas injustiças na vida, Vervain* pode ajudá-lo a cultivar uma personalidade mais poderosa e dinâmica. Levante-se e mostre seu valor. Torne-se sua própria autoridade e não uma vítima dela.

Orgulho

Water Violet*

Water Violet* é o floral para a indiferença e o orgulho. Debaixo dessa camada de orgulho, com frequência encontramos uma mágoa silenciosa. Os Water Violet* são pessoas silenciosas, que preferem ficar sozinhas.

Vervain*

Os tipos Vervain* acham que o seu jeito de ser é o melhor de todos. Como resultado, acham que nunca estão errados, tendendo a ficar "cheios de si". Em virtude desse escudo de arrogância que constroem em torno de si, tornam-se pessoas pouco acessíveis.

Rock Water

Os tipos Rock Water sentem necessidade de ser "um exemplo para todos", que devem viver segundo suas normas de vida. São muito orgulhosos e querem ser vistos como "perfeitos". Podem se tornar muito rígidos e intolerantes. Por consequência dessa rigidez e teimosia, são pessoas difíceis de mudar.

Humildade

Water Violet*

Water Violet* devolve a humildade e abre linhas de comunicação, trazendo de volta a alegria para a vida.

Wild Rose

Wild Rose resgata a alegria infantil, sem defesas, sem julgamentos; apenas com abertura e receptividade.

Perfeccionismo

Rock Water

Abranda os que são muito sérios, incapazes de se dobrar na vida, excessivamente críticos e implacáveis. Ajuda-os a não exigirem coisas impossíveis de si mesmos e dos outros, e a se desapegar um pouco de suas preciosas regras; traz de volta a paixão e a compaixão às suas vidas.

Impatiens*

Impatiens* confere mais paciência para consigo mesmo e para com os demais. Reverte a atitude "Dê-me isso que eu mesmo faço".

Os tipos de personalidade Impatiens* são muito críticos, cruéis e implacáveis. Quase sempre preferem fazer tudo sozinhos.

Vervain*

Para aqueles que são muito categóricos; que enxergam o mundo como sendo tudo preto no branco, certo e errado, o que os deixa muito sérios.

Beech

Beech inspira uma atitude mais positiva nos que são muito críticos, estão sempre implicando e reclamando de tudo.

Minimizando o problema ou forjando álibis

Oak

Esses tipos jamais admitem que não irão conseguir dar conta de um problema ou de uma situação. Frequentemente dizem: "Sem problema. Eu dou conta disso", e podem ou não fazer efetivamente. Eles carregam o mundo sobre os ombros. Os tipos Oak foram ensinados, desde a mais tenra idade, que era seu dever arcar com as responsabilidades. No entanto, eles estendem essa responsabilidade aos demais, em vez de simplesmente arcar com ela.

Agrimony*

Os tipos Agrimony* são os mestres da negação. Desde cedo, aprenderam a minimizar seus problemas e são capazes de dizer coisas do tipo "Bebo, fico bêbado, caio. Sem problema".

Os tipos Agrimony* são pessoas que buscam a paz, negam os sentimentos, vivem atormentados, são honestos, bons companheiros, precisam de estímulos para enfrentar a vida, sentem inquietude, usam uma fachada para parecerem alegres, normais. Gostam de se movimentar, têm sono agitado, armazenam emoções, temem não serem aceitos por sua história pregressa, são assombrados por seus "fantasmas". Suas lembranças os atormentam. Precisam se sentir seguros para contar a verdade. São a alma das festas, os piadistas. Gostam de esportes naturais. Buscam a paz na natureza. Abuso de drogas e álcool para entorpecer a dor e o tormento. Mestres da negação. Acreditam em suas próprias mentiras. Mentirosos patológicos. Anseiam a morte para aliviar seus tormentos, mas temem a negação, pois o medo pela punição dos pecados lhes causa esses tormentos. Dirigem de maneira inconsequente. Escolhem esportes perigosos.

Admitindo os erros

Rock Water

Rock Water ajuda as pessoas a admitirem que são humanas.

Vervain*

Os tipos Vervain* acham que sabem tudo. O floral Vervain* os ajuda a apreciar o ponto de vista das outras pessoas, considerando os conselhos delas e não somente a sua própria verdade.

Agrimony*

Agrimony* é o floral-chave para que uma pessoa admita algo, especialmente seus erros.

Mimulus*

Mimulus* libera os medos muito arraigados de todo tipo, como de altura, de água, das pessoas, de falar em público etc.

Crab Apple

Crab Apple é utilizado para dissipar a vergonha e as toxinas emocionais negativas.

Egoísmo – Compaixão por si mesmo – Egocentrismo

Heather

Os tipos Heather falam incessantemente sobre seus problemas corriqueiros, monopolizando a atenção de quem os ouve. O egocentrado Heather envolve qualquer um para ouvi-lo. São tipos realmente muito solitários, que fazem qualquer coisa para falar com alguém. Esse tipo de abordagem, no entanto, faz com que os outros às vezes evitem sua companhia. (Quando crianças, esses tipos sentiam-se rejeitados ou ignorados, e sentiam falta de uma "ligação" com os pais; na idade adulta, buscam a atenção de qualquer um).

Cerato*

O floral Cerato* oferece sabedoria e discernimento para esse tipo de personalidade, tão hesitante ao tomar decisões. Cerato* faz muitas perguntas sobre as questões da vida. Como Heather, os tipos Cerato* monopolizam a conversa em torno dos seus problemas (egocentrados), raramente ouvindo os conselhos oferecidos. Eles ligam para um amigo e depois para outro, repetindo suas dúvidas em busca de aprovação.

Os tipos Cerato* foram criados por pais muito dominadores, tutores ou professores que os criticavam quando cometiam algum erro. Agora, temendo estarem errados, acabam por se tornar "perguntadores compulsivos em busca de aprovação".

Chicory*

Os tipos Chicory* são manipuladores: eles choram, lamentam-se, fazem o papel de mártir e usam todo tipo de artimanha para envolver os outros em seus joguinhos. Usam também um peso e duas medidas: "Eu posso fazer tal coisa, mas você não". São mestres em distorcer a verdade. Mestres que abusam de si mesmos e fazem os outros se sentirem culpados pelos seus erros. Os tipos Chicory* se preocupam somente com seu próprio bem-estar; todo o resto fica em segundo plano. Os indivíduos Chicory* são extremamente egocentristas.

Willow

Os tipos Willow se ressentem quando os outros levam vantagem sobre eles e os fazem "cometerem erros". Por isso, partem para "dar o troco" pelo sofrimento que tiveram de passar. Acham que o mundo lhes deve o sustento. Esses tipos em geral querem levar vantagem sobre tudo e sobre todos. Por exemplo, tentam enganar a seguradora (forjando um furto de auto); os programas assistenciais do governo; os pais. É a síndrome de "A revolução dos bichos", de George Orwell: Todos são iguais perante a lei, mas alguns são mais iguais. Essa espécie de ressentimento dá origem a uma personalidade muito egoísta, que se tornam iguais àqueles que criticam. Com frequência falta-lhes responsabilidade.

Ressentimento

Willow

Willow é o floral ideal para o ressentimento. A causa desse ressentimento varia; no entanto, todas as personalidades são capazes de senti-lo.

Centaury*

As pessoas de personalidade Centaury* muitas vezes acabam se sentindo ressentidos por serem escravos dos desejos alheios, depois de permitir que se aproveitem de seu bom coração e de sua vontade de servir. Os tipos Centaury*, portanto, se ressentem pelo que se espera deles. Assim que aprendem a dizer "não", esse ressentimento desaparece.

Oak

Os indivíduos Oak são orientados pela responsabilidade – sentem um dever para com a vida. Ressentem-se pelo fato de os outros não cumprirem a sua parte.

Mimulus*

Os tipos Mimulus* são ressentidos com os outros desde há muito tempo. São muito inseguros e amedrontados para falarem por si mesmos e, portanto, os outros se aproveitam facilmente deles. Detestam ser ignorados e, quando se aproveitam deles, ficam ressentidos.

Agrimony*

Os tipos Agrimony* foram reprimidos a vida toda e nunca se permitiram falar de suas emoções por medo de serem punidos. Assim, desde cedo aprenderam a guardar suas emoções para não serem agredidos. Essas emoções acumuladas dão origem a um ressentimento profundo.

Raiva

Holly

Holly é o floral central da raiva. Todas as personalidades podem expressá-la. Abaixo, relacionamos os tipos de personalidade que mais frequentemente se desequilibram com essa emoção. Eles são os molestadores da raiva.

Agrimony*

Esse tipo pode ficar extremamente enfurecido pelo sentimento de raiva projetado neles pelos pais. Essa é uma raiva silenciosa, suprimida. Quando o tormento se torna insuportável, esse tipo pode se tornar abusivo.

Cherry Plum

O humor de Cherry Plum é muito explosivo, descontrolado e violento; e ele normalmente expressa tudo isso no nível físico. O floral Cherry Plum devolve o controle a esse tipo, que costuma ser estressado.

Chicory*

A personalidade Chicory* pode ser naturalmente manipuladora. A raiva é a forma mais comum de manipulação. Ela provoca medo, e o medo é destrutivo.

Mimulus*

Os tipos Mimulus* também são passíveis de sentir raiva, porém ela é expressa sob a forma de ressentimento.

Aceitando a responsabilidade pelas próprias atitudes

Chicory*

Esses são os manipuladores; especialmente, os viciados que abusam dos outros para manter sua maneira de viver, sem assumir

INTEGRAÇÃO DOS FLORAIS DE BACH AO PROGRAMA DE DOZE PASSOS

a responsabilidade pela própria vida. Eles simplesmente tomam as coisas sem pedir. Afinal, os outros devem a eles.

Willow

Os tipos Willow sentem que o mundo lhes deve uma compensação por tê-los feito sofrer, por ter provocado na vida deles alguma desventura. O mundo pagará por sua dor.

Oak

O floral Oak equilibra o excesso de responsabilidade e, quando necessário, instila mais responsabilidade naqueles que precisam assumir a própria vida.

Impaciência, perdão e compreensão

Impatiens*

Impatiens* é o floral da impaciência. A impaciência que exige que as coisas sejam providenciadas para "ontem". Os impacientes não compreendem e não desculpam; só querem saber de resultados e os querem bem rapidamente.

Vervain*

Os tipos Vervain* são muito incisivos e sempre querem "endireitar" o mundo. Esse modo de ser pode ser interpretado como impaciência, falta de compreensão e dificuldade para perdoar.

Rock Water

Os tipos Rock Water têm dificuldade para perdoar; são inflexíveis com aqueles que se desviam de seus preciosos preceitos de vida e impacientes com os que não vivem de acordo com suas expectativas.

Protelação

Clematis*

Clematis* é o principal floral para a protelação. Ele aguça a atenção e desobstrui o caminho.

Cerato*

Cerato* está relacionado com o discernimento e a sabedoria. Para deixar o caminho mais claro em vez de vacilante, que vai para a frente e para trás, e torna esse tipo incapaz de tomar uma decisão, fazendo-os perder tempo.

Mimulus*

Os tipos Mimulus* protelam ao permitir que seus medos os retardem.

Scleranthus*

Scleranthus* é indicado para os que têm dificuldade em tomar uma decisão. Lembrem-se de que "somente galinha que acorda cedo, pega minhoca gorda".[5]

Gentian*

Os tipos Gentian* duvidam de si próprios; permitem que atrasos e contratempos os desencorajem ou os façam desistir antes mesmo de ter começado.

---

5. Ambos, Cerato* e Scleranthus*, têm dificuldade em tomar decisões. Porém, Cerato* externa seus pensamentos e Scleranthus* os internaliza.

Larch

A falta de confiança também pode retardar o progresso. Larch aumenta a confiança, de modo que o indivíduo seja o seu próprio "motor de arranque". O amanhã nunca chega para um tipo Larch negativo.

Hornbeam

Hornbeam é indicado para os que demoram a sair da cama pela manhã e para os que sofrem cronicamente da "síndrome da manhã de segunda-feira"; que passam metade do dia na cama. Hornbeam ajuda-os a enfrentar o dia que têm pela frente, quando estão enfadados com a vida, com o trabalho ou com um relacionamento pessoal.

Wild Oat

Wild Oat é eficiente quando protelamos a decisão de atuar de acordo com o propósito da nossa alma, deixando que os desgastes da vida cotidiana nos tirem a esperança de fazer o trabalho com o qual sonhamos, aquele que empolga e entusiasma a alma. Wild Oat desperta anseios adormecidos e estimula a iniciativa e o entusiasmo para buscar nosso verdadeiro destino.

Liberando a culpa

Pine

As pessoas Pine se punem porque sempre atraem para si o ônus das coisas. Culpam-se por suas falhas e, frequentemente, também assumem as falhas dos outros também. Uma característica e tanto para um dependente de drogas, não? Aquele que abusa quer alguém para pôr a culpa, enquanto os tipos Pine desejam ser culpados e sentem a necessidade de serem punidos. Os indivíduos Pine tomaram para si essa culpa em algum momento lá atrás. Lembre-se de que a única pessoa que pode ser culpada é a que aparece no espelho à sua frente. Pine restabelece o respeito por si. Você é uma pessoa viável. "Deus não produz lixo". Você não nasceu para ser, mental, emocional ou fisicamente, um saco de pancadas.

Crab Apple

O floral Crab Apple libera a culpa e a vergonha. A culpa que provém de uma sensação de impureza ou de não ser bom, ligada a um acontecimento na vida de alguém, infligido ou causado pela pessoa. Esse tipo de culpa provém do sentimento de não se sentirem capazes, de serem indignos, desqualificados. Também está ligado à falta de uma boa autoimagem com relação à aparência (com ou sem deformidade física), à inteligência ou à condição financeira.

Water Violet*

Water Violet* é o floral do pesar, da tristeza, da mágoa. Comumente, essas emoções são expressas sob a forma de uma síndrome de "pesar e culpa". Supõe-se, nesse caso, que haja uma culpa como causa, isto é, um complexo de "Eu poderia ter feito melhor" ou "Eu deveria ter feito algo mais". Por exemplo, na perda de um ente querido, o pesar é uma das emoções mais preponderantes a se processar. No entanto, a culpa parece alimentar essa tristeza ou pesar.

Star of Bethlehem

Star of Bethlehem propicia o consolo necessário ao se processar emoções do tipo "pesar e culpa".

Medo do abandono – isolamento – solidão
(Não ser "bom o bastante", ser "menos que")

Mimulus*

É o floral-chave para todas as formas de "medo da perda", como o medo da rejeição e do abandono.

Larch

Larch aumenta a autoconfiança e o amor-próprio.

Rock Rose*

Rock Rose* é também um floral para o medo, porém é um tipo de medo mais agudo que em Mimulus*. As pessoas Rock Rose* reagem com pânico e, por vezes, ficam histéricas, ao passo que Mimulus* carrega seus medos de maneira silenciosa.

Aspen

O medo de Aspen está mais próximo da paranoia; um medo inexplicável; aquilo que chamamos de "cisma".

Chicory*

O medo mais arraigado de Chicory* é o de que não haja ninguém que os ame. Essas personalidades "tomam posse" do ser amado com medo de que eles as deixem.

Water Violet*

As pessoas de personalidade Water Violet* são naturalmente calmas, não interferem na vida alheia; são individualistas que preferem ficar sozinhas.

Agrimony*

Os tipos Agrimony* escondem seu medo da não aceitação bancando os palhaços e fazendo piadas constantemente. Frequentemente, são aqueles que precisam tomar um trago para se sentirem melhor, para diminuir sua inibição e ocultar seu medo da desaprovação.

Esse tipo prefere estar num grupo, por exemplo, numa bela festa! No entanto, sente-se solitário onde quer que esteja e utiliza-se das festas para desviar sua atenção das suas angústias.

Heather

Heather tem um medo de abandono profundamente enraizado, além de uma sensação de solidão. Os tipos Heather muitas vezes sentem falta dos pais, mais frequentemente da mãe. Têm uma necessidade de falar o tempo todo, pois seu grande medo é que não existirão se pararem de falar. Talvez tenham sido ignorados na infância, quando desejavam a atenção dos pais. No entanto, jamais receberam aquilo de que desesperadamente precisavam. Essa solidão e carência de atenção os perseguem por toda a vida. As pessoas Heather farão de tudo para obter a atenção de alguém. Vão se tornar tagarelas, fazendo sempre a conversa girar em torno delas. Frequentemente, criam múltiplas complicações na vida.

Clematis*

Os tipos sensíveis Clematis* estão sós em sua mente; são os que vivem em devaneios; os populares "cabeças de vento". Criam para si um mundo próprio, isolando-se do mundo cruel.

Zelando por todos e perdendo a identidade própria

Oak

Os tipos Oak perdem sua identidade ao se responsabilizarem pelo mundo. Tornam-se burros de carga, dando conta das necessidades dos outros e não atendendo às próprias. Esse tipo irá trabalhar até "quebrar" de vez.

Centaury*

Os tipos Centaury* adoram agradar os outros, com isso esquecem-se de si mesmos ao tentar servir as pessoas.

Chicory*

As pessoas Chicory* podem se tornar mães "galinhas chocas" (superprotetoras) pelo excesso de zelo para com os seus entes queridos.

Olive

Os tipos zelosos de Olive podem ir além dos próprios limites e exaurir suas energias no anseio de servir os demais. O floral Olive irá restaurar suas forças perdidas. Essa exaustão pode ser causada por uma provação física, emocional ou mental.

Red Chestnut

Os indivíduos Red Chestnut são eternos preocupados com os seus. Ficam imaginando o que pode acontecer ou o que pode ter acontecido.

Controle excessivo e exagerado senso de responsabilidade

Vervain*

Os tipos Vervain* acham que foram criados para salvar o mundo. Esses indivíduos, excessivamente convictos, têm fortes opiniões sobre o que é certo e errado no mundo e, logicamente, acham que o seu jeito é o correto e deve valer para todos.

Chicory*

Chicory* está sempre controlando. No entanto, esse controle é mais voltado para dentro de seu lar, isto é, para o bem-estar de sua família; estão sempre preocupados com todas as atividades dos membros do clã. Sofrem da "síndrome da galinha choca".

Vine

Esses tipos nasceram para ser líderes, tomando para si o controle de qualquer situação. Seu erro, no entanto, é se sentirem superiores às outras pessoas. Pensam que todo o resto é incompetente para dirigir a própria vida. Dessa maneira, Vine, que tem uma mente privilegiada, acredita que pode conduzir os menos afortunados, a quem, para ele, Deus esqueceu-se de dar um cérebro.

Impatiens*

Impatiens* exerce o controle por meio de sua insistência para que tudo seja feito com eficiência e exatidão, o que deixa os outros se sentindo "um lixo", como se não fossem bons o bastante.

Beech

São tipos por natureza muito críticos. Eles controlam os demais através de sua mania de perfeição.

Oak

Oak, como sabemos, é um tipo muito responsável. Ao aceitar essa carga, ele perde sua identidade assumindo a responsabilidade por todo mundo. Os indivíduos Oak tornam-se burros de carga ao atender às exigências dos demais e negligenciar as próprias. Dessa maneira, irão trabalhar até "quebrarem" por completo.

Elm

Elm é um floral para os que se sentem oprimidos. É aquela sobrecarga de ter de sustentar a família (em casa ou no trabalho) do ponto de vista financeiro, emocional ou mental.

Rock Water

Esses tipos são muito "certinhos"; vivem de acordo com regras e mantêm o controle exigindo que os outros sigam seu estilo sóbrio de viver.

Falta de respeito por si e baixa autoestima

Pine

Os indivíduos Pine se martirizam colocando tudo em suas costas. Culpam-se por suas falhas e com frequência assumem também as falhas dos outros. Um prato cheio para um usuário de drogas! Eles anseiam por um culpado e sentem necessidade de serem punidos. As pessoas Pine assumiram uma culpa lá atrás, em algum momento. Lembre-se, a única pessoa a ser culpada é a que está no espelho. Tome Pine para recuperar o respeito por si. Você é uma pessoa viável. "Deus não produz lixo". Você não nasceu para ser um saco de pancadas mental, emocional ou fisicamente.

Crab Apple

Crab Apple Remedy libera culpa e vergonha. A espécie de culpa na qual uma pessoa se sente impura, ou não se sente bem com algo que tenha acontecido, que lhe tenha sido imputado ou causado por ela. Esse tipo de culpa provém do sentimento de não ser "bom o bastante", indigno das coisas ou sem valor. Existe uma perda da boa autoimagem no aspecto da aparência, das finanças ou pela presença de um defeito físico.

Mimulus*

Os tipos Mimulus* são muito tímidos e envergonhados pelo fato de, no passado, terem sido ignorados e negligenciados. Ao serem deixados de lado durante muito tempo, desenvolveram um sentimento profundamente enraizado de insegurança e dúvida, além de uma péssima autoimagem.

Cerato*

As pessoas com personalidade Cerato* têm dificuldade para tomar decisões por si mesmas; buscam os conselhos de todos, necessitando da aprovação dos outros, em vez de seguir seu juízo próprio. Muitas vezes, as pessoas confundem a fobia de Cerato* em não querer incorrer em algum erro com estupidez. Os próprios tipos Cerato* sentem que os outros os tomam por tolos.

Passo 5

Admitimos, para Deus, para nós mesmos e para outra pessoa, a natureza de nossas falhas.

Humildade em admitir os erros a outra pessoa e a honestidade para consigo mesmo e para com os outros

Water Violet*

Use Water Violet* para "abrir" os que são muito reservados e silenciosos, que se sentem superiores demais para conversar com as outras pessoas; essa é a postura do "Eu posso dar conta de tudo sozinho".

Vervain*

Use Vervain* para os "poderosos" e convencidos admitirem que estão errados.

Rock Water

Rock Water suaviza os que são excessivamente teimosos para mudar ou admitir que possa haver outra abordagem para seus problemas.

Cherry Plum

Use Cherry Plum para amenizar o controle forçado. Deixe ir. Não há problema em deixar as coisas mais soltas.

Holly

Holly ajuda a soltar a raiva.

Willow

Willow libera o ressentimento e ajuda a reconhecer nossa participação nas situações.

Crab Apple

Use Crab Apple para eliminar a vergonha, em particular ao admitir os próprios erros para as outras pessoas.

Agrimony*

Para eliminar as velhas lembranças que atormentam dentro do peito, e propiciar paz mental. O grande medo de Agrimony* é achar que os outros não vão gostar dele, se ele compartilhar seus segredos e problemas mais íntimos.

Wild Rose

Wild Rose substitui a seriedade por alegria e contentamento, devolvendo a honestidade infantil para admitir os erros com facilidade, sem medo de ser punido.

Mimulus*

Mimulus* diminui o medo dos palcos, especialmente na companhia de outras pessoas. Mimulus* acalma todo tipo de medo, inclusive o de rejeição.

Rock Rose*

Rock Rose* atenua o pânico de falar em público ou com estranhos.

Chicory*

Use Chicory* para reconhecer que engana a si mesmo; para reconhecer quando está manipulando os outros para que acreditem que o erro não é seu.

Impatiens*

Use Impatiens* para acalmar a ansiedade, ter paciência consigo mesmo e eliminar a crueldade e a dor emocional.

Beech

Beech cria uma atitude positiva quando nos percebemos muito críticos, exigindo que todos sejam perfeitos.

Red Chestnut

Red Chestnut acalma as preocupações. Auxilia aqueles que se exaurem preocupando-se com o que poderá acontecer se disserem o que têm de dizer: a sua verdade. Usar esse floral quando alguém se preocupar ao precisar falar em público, imaginando coisas como: "E se eu não me sair bem?" ou "E se eu passar por bobo?"[6]

Passos 6 e 7

Estamos prontos para trabalhar em parceria com Deus para eliminar nosso comportamento inadequado. Humildemente pedimos a Deus que nos ajude a superar nossas deficiências.

Agrimony*

Use Agrimony* para deixar de lado a atitude de negação de quem somos. Todos nós somos filhos de Deus. Não podemos nos esconder de nós mesmos e Deus é onipresente. Permitamos que Ele nos livre das lembranças atormentadoras que só existem em nossa mente. Essas lembranças não nos machucarão mais.

Holly

Use Holly para eliminar os vestígios de raiva e o ódio que ainda restam por terem lhe "empurrado Deus goela abaixo" quando era criança.

---

6. Heather, por sua vez, auxilia aos que precisam ser bons ouvintes.

Willow

Assim como Holly, use Willow para eliminar o ressentimento por lhe terem imposto a figura de Deus de maneira forçada quando ainda era criança; para estar mais disposto a admitir que o erro não é de Deus, mas de uma má interpretação de fatos passados.

Crab Apple

Use Crab Apple para curar a vergonha e a culpa por atribuir os pecados a Deus e à natureza e por ter se afastado Dele. O propósito da culpa não é outro senão o de roubar a alegria da vida, impedindo a produtividade e criando a obsessão pelo castigo.

Gentian*

Use Gentian* se você estiver regredindo. Ou para evitar a dúvida e os contratempos. Gentian* instila a mais perfeita fé.

Chestnut Bud

Use Chestnut Bud para ser um observador atento da vida. Para aprender a lição pela primeira vez, evitando a necessidade de repetir o padrão.

Cherry Plum

Cherry Plum afrouxa o controle para deixar tudo nas mãos do Poder Supremo. "Seja feita Sua Vontade".

Chicory*

Use Chicory* para liberar o amor egoísta e manipulador e criar a liberdade do amor generoso.

Rock Water

Rock Water abranda a rigidez e a teimosia, aumentando a autodisciplina daqueles que precisam de mais estruturação em suas vidas.

Clematis*

Clematis*, em vez de conversa mole, coloca ação nas palavras, propiciando a disciplina necessária para se concretizar um compromisso.

White Chestnut

White Chestnut acalma o "diálogo" interior que perturba a concentração e a tranquilidade para ouvir a voz interior do Poder Supremo.

Cerato*

Use Cerato* para permanecer sábio e capaz de reconhecer o caminho correto para si mesmo. Não permita que os outros virem a sua cabeça, nem fique buscando a aprovação das outras pessoas. Busque a aprovação de seu Eu Superior.

Scleranthus*

Use Scleranthus* para permanecer firme e sem hesitações ou dúvidas quanto a abandonar velhos hábitos e companhias que tentam forçá-lo a voltar para o vício. Para tomar uma decisão e permanecer firme até o fim.

Passo 8

Nesta etapa, fazemos uma lista de pessoas que tenham nos prejudicado ou a que tenhamos causado algum mal, e às quais estamos dispostos a perdoar, ressarcir ou compensar.

Mustard

Mustard ajuda-nos a relembrar os eventos do passado, que porventura possam ter ficado bloqueados. Ajuda a exumar o passado.

Clematis*

Clematis* ajuda a deixar a mente clara para coligir uma lista da maneira mais completa possível. Igualmente para evitar a atitude de "empurrar com a barriga", quando é preciso enfrentar uma pessoa difícil.

Agrimony*

Use Agrimony* para propiciar uma comunicação positiva, para que seja possível a transmissão de sentimentos francos e honestos.

Crab Apple

Use Crab Apple para amenizar os sentimentos de vergonha e culpa.

Impatiens*

Use Impatiens* para perdoar a si mesmo e aos outros.

Gentian*

Use Gentian* para não permitir que contratempos impeçam-no de prosseguir.

Passo 9

Ressarcir diretamente as pessoas sempre que possível, exceto quando essa atitude pode prejudicar alguém.

Cerato*

Use Cerato* para obter discernimento e sabedoria.

Agrimony*

Use Agrimony* para possibilitar uma comunicação mais aberta, honesta e efetiva entre todos os envolvidos.

Wild Rose

Wild Rose é sempre indicado quando se está prestes a um confronto delicado. O floral cuidará para que haja uma atmosfera amigável.

Passo 10

Continuamos com nossa autoanálise e admitimos prontamente quando estamos errados.

Agrimony*

Agrimony* ajuda-nos a admitir nossas falhas e a nos vermos de modo menos preconceituoso.

Passo 11

Buscamos por meio da prece e da meditação melhorar nosso contato consciente com Deus, seja como for que o entendamos; oramos somente pela ciência de Sua vontade e para que tenhamos o poder de realizá-la.[7]

---

7. O objetivo de todos os florais de Bach é nos reconectar com o Poder Supremo.

Cerato*

Use Cerato* para atuar com sabedoria e discernimento.

Clematis*

Use Clematis* para permanecer concentrado, para estabelecer uma comunicação cada vez maior com Deus e para não deixar as coisas para amanhã.

White Chestnut

White Chestnut dissipa o "diálogo" mental, propiciando uma quietude, uma calma, que aumenta a capacidade de ouvir.

Rock Water

Rock Water aumenta a disciplina.

Passo 12

Depois do despertar espiritual resultante das fases anteriores, tentamos levar essa mensagem aos alcoólicos e praticar esses princípios em todos os nossos assuntos particulares.

Vervain*

Os tipos Vervain* são filósofos e professores naturais. São pessoas de forte convicção. Porém, podem lutar e "morrer na praia". Vervain* ajuda a não desistir e a não serem tão duros consigo mesmo.

Agrimony*

Use Agrimony* para se abrir e compartilhar suas experiências com os outros.

Parte III
A cura da Criança Interior

Atividade meditativo-recriativa

Para cada essência floral, relacionamos uma sugestão de atividade, que propicia uma regressão até a época em que se originou o problema em questão e estimula a comunicação com as necessidades e anseios da criança interior. Mas, antes, será necessário decidir quais aspectos negativos da Criança Interior precisam ser trabalhados.

A criança interior e suas modalidades

1. Abandonada/rejeitada
2. Amedrontada
3. Triste/Pesarosa
4. Deprimida
5. Ignorada/negligenciada
6. Obediente
7. Vulnerável/influenciável
8. Raivosa/irada
9. Entorpecida
10. Reprimida

11. Carente
12. Desqualificada/incompleta
13. Magoada/ferida

Selecione o floral ou os florais que coincidam exatamente com o objetivo pretendido. Coloque então duas gotas sobre a língua e aspire profundamente com os lábios ligeiramente entreabertos para que as vibrações dos florais ajam dispersando-se para dentro dos pulmões. Imediatamente, as essências espalharão seu efeito terapêutico por todo o corpo. Respire dessa maneira três vezes. Pode-se também pingar algumas gotas do floral nas mãos e colocá-las em forma de concha sobre o nariz e a boca, aspirando profundamente da mesma maneira. Outra técnica é segurar o frasco de floral nas mãos durante todo o processo. Os florais são capazes de irradiar sua cura, mesmo através do frasco; eles são, portanto, um recurso de valor inestimável no processo de cura das emoções "congeladas", facilitando maior eficácia na meditação.

A criança abandonada/rejeitada

Mimulus*

Mimulus* libera o medo do abandono e todos os outros medos profundamente enraizados desde a infância. Essa criança muitas vezes se sente rejeitada, negligenciada ou ignorada; em resumo, é como se ela não existisse.

Atividade meditativo-recriativa: aspire profundamente a essência para que ela instile coragem nessa criança tímida. Mimulus* dá coragem para que a pessoa fale de seus desejos e anseios; para contar aos pais ou companheiros quem se aproveitou dela desde a infância até

A CURA DA CRIANÇA INTERIOR

a adolescência. Tome coragem! Anuncie sua presença e importância; cresça e apareça! Grite ao mundo: "Olhem! Eu estou aqui!"

Cerato*

Os tipos Cerato* acham que serão punidos ou rejeitados se cometerem algum erro. Seus pais (ou uma figura autoritária) devem ter criticado suas atitudes quando crianças, o que os fez sentirem-se burros e desajeitados. A eles falta o autodiscernimento; não acreditam em si mesmos para tomar uma decisão correta. A criança Cerato* fica buscando o conselho de todo mundo com medo de errar e ser punida. Faz muitas perguntas, com dificuldade para tomar decisões e, é claro, com muito medo de trazer seus questionamentos aos adultos e ser taxada de burra e equivocada. O tipo Cerato* busca a aprovação alheia e sem ela sente-se totalmente desvalorizado, uma nulidade.

Atividade meditativo-recriativa: tome Cerato* e crie (imagine) uma criança com a sabedoria atemporal, a sabedoria do rei Salomão: a criança reconhecida por sua inteligência nata. Medite e imagine os pais e os professores dando sua aprovação para tudo o que a criança criar, reconhecendo seus talentos e aptidões. Ela não terá mais de buscar a aprovação e aval de quem quer que seja: a criança está inteira e completa; capaz de permanecer firme, com pleno conhecimento de sua inteligência e sabedoria, não mais sendo persuadida pelos outros.

Pine

As crianças Pine não têm respeito por si próprias. Sempre acham que fizeram alguma coisa errada ou que não fizeram o melhor. São descartadas por não corresponderem às expectativas dos pais. Esses tipos podem ser realmente rejeitados, abandonados para viver à própria custa. A única conclusão a que chegam essas crianças é que não valem nada, que não se encaixam na vida. Seus próprios pais as consideraram sem valor e serventia.

Essas crianças foram rejeitadas e punidas pela simples razão de serem quem são. Desde cedo, uma lavagem cerebral as fez acreditar que eram inúteis, e agora, acham que merecem ser punidas; buscam a punição para satisfazer sua falta de mérito. "Os pais sempre estão certos". Os tipos Pine muitas vezes procuram por relacionamentos abusivos, convivendo com companheiros que se aproveitam deles. Eles foram educados assim; o que esperar deles como adultos? Muitas vezes os adultos são somente crianças grandes.

Atividade meditativo-recriativa: tome Pine, medite e visualize, do passado, apenas as conquistas e as aquisições. Recrie a família que aceita a criança da maneira como ela é. A criança reconhecerá, então, que não precisará mais assumir os erros alheios, nela projetados, e tampouco precisará ficar justificando o tempo todo sua vida.

Crab Apple

Crab Apple elimina a vergonha: a vergonha da existência, da herança passada e de seus vícios; a vergonha de ter sido violentado ou molestado e a incapacidade de falar no assunto; a vergonha de ter de esconder tais fatos da vida, sentindo-se impuro e rejeitado.

Atividade meditativo-recriativa: permita que Crab Apple limpe cada célula do corpo da criança interior. Sinta a vergonha e a impureza indo embora. Visualize uma criança luminosa, viva, radiante e limpa; a escuridão foi-se de vez. Ela está, então, livre do peso da culpa que por tanto tempo carregou. Todas as emoções negativas e tóxicas se foram, somente restando a luz! Veja a criança com sua autoestima elevada, orgulhosa daquilo que é.

Sweet Chestnut

É o floral para os momentos em que se está num "beco sem saída", sem coragem nem forças para prosseguir. A vida é só angústia. Tanto a criança abusada pelos pais quanto a criança abandonada, deixada à mercê da própria sorte, tendem a entrar nesse estado mental.

Atividade meditativo-recriativa: Sweet Chestnut pode gerar energia suficiente para retirar essa criança das profundezas do inferno. Imagine essa criança sofrida emergindo com toda sua energia de volta. Algo parecido com o que acontece ao marinheiro Popeye, quando ele come seu espinafre. A criança com energia renovada pode reverter qualquer situação negativa que tenha ocorrido no passado ou presente.

A criança amedrontada

Aspen

A criança Aspen teme a perseguição. Vive constantemente achando que algo pode acontecer com ela, particularmente se convive com um tipo molestador. Cada vez que ele volta para casa, ela sente esse medo. É uma criança muito sensível, propensa a ver fantasmas no armário; seus pais atribuem isso à sua imaginação.

Atividade meditativo-recriativa: aspire Aspen profundamente até que essa criança sinta que um halo de proteção a envolve, como se alguém dissesse: "Tudo está bem". Aspen é sensacional para remover medos e inseguranças persistentes.

Veja Aspen ajudando essa criança a dormir tranquilamente sem ser perturbada, livre do medo de que alguém possa feri-la.

Rock Rose*

Rock Rose* é para o pânico da criança atormentada por pesadelos, que se aterroriza e se excita muito facilmente.

Atividade meditativo-recriativa: visualize a criança Rock Rose* calma e em paz. Depois, veja-a dormindo a noite toda sem medo de pesadelos. Rock Rose* substitui o temor por uma coragem intrépida. Agora, recrie a criança cheia dessa coragem, superando todos os desafios da vida e enfrentando as pessoas que a deixavam em pânico.

Mimulus*

A criança Mimulus* é muito tímida e envergonhada. Essa criança tem muitos medos, como de altura, de água, de outras pessoas, de não ser aceita etc. Os medos de Mimulus* são medos lógicos, diferentemente da criança Aspen, cujos medos não se podem ver nem ouvir. A criança Mimulus* é muito sensível aos barulhos e tem dificuldade para dormir.

Atividade meditativo-recriativa: a criança Mimulus* deve ser visualizada cheia de confiança e de coragem para falar com qualquer um. Coragem para acreditar em si mesma sem precisar da aprovação dos outros. Coragem para se tornar aquilo que deseja se tornar.

Agrimony*

A criança Agrimony* aprendeu desde cedo a não falar o que pensava, a não emitir suas opiniões e, é claro, a nunca discutir, pois certamente seria punida se o fizesse. Essa criança nunca teve permissão para expressar suas verdadeiras emoções. Muitas vezes foi molestada e sentiu que não era desejada pelos pais. Esse abuso nunca foi admitido diante de outras pessoas, pois ela tinha receio de que os amigos não a aceitassem.

Atividade meditativo-recriativa: a criança Agrimony* precisa liberar todas as emoções contidas, guardadas durante longo tempo. Agora, ela está em segurança; não terá mais de temer a punição ao compartilhar seus verdadeiros sentimentos, sabendo que pode ser amada mesmo não sendo perfeita. Libere essa criança que, por muito tempo, ansiou por acalmar seu coração. Enfim, livre! Aquele tremendo peso saiu de dentro do peito. Respire um ar pleno de liberdade; a alegria de ser verdadeiramente aceita e amada por ser a criança maravilhosa que é e sempre foi.

A criança triste/pesarosa

Water Violet*

Water Violet* libera a mágoa e devolve a alegria perdida. O adulto muitas vezes lamenta a infância perdida, que deveria ter sido alegre e despreocupada. Essa criança pode também estar pesarosa por ter perdido um ente querido, seja por causa de um divórcio, por decisão judicial ou morte.

Atividade meditativo-recriativa: medite sobre a infância, deixando que Water Violet* apague as mágoas pelos anos perdidos. Water Violet* ajudará a liberar as lágrimas, desobstruindo a vida. No entanto, essas lágrimas serão substituídas por outras, de alegria. Uma alegria verbalmente difícil de explicar, porém de uma emoção muito verdadeira. E então a criança estará livre para expressar sua alegria de viver; será capaz de fazer expressar os pensamentos e desejos guardados lá dentro por tanto tempo.

Wild Rose

Wild Rose dissipa a apatia provocada por viver num lar onde não é desejada e, como criança, ter que se "virar" sozinha. Essa situação provoca uma postura do tipo "Não sirvo para nada, não vou conseguir", e a criança acredita que deve se render às dificuldades da vida, sem jamais conseguir suplantá-las.

Wild Rose é o floral principal para soltar a Criança Interior. Ele substitui a seriedade pela alegria, possibilitando que a criança viva a vida despreocupada que deveria ter vivido.

Wild Rose libera a verdadeira criança sem medo e sem preocupações, livre da sobriedade projetada pelos adultos, que a forçaram a aceitar as responsabilidades por suas falhas, usurpando-lhe os anos de gozo e despreocupação.

Atividade meditativo-recriativa: tome Wild Rose e aspire profundamente até que uma sensação de alegria e felicidade venha à tona; talvez uma sensação um tanto excêntrica invada o seu ser. Volte, então, àqueles dias em que lhe roubaram a plenitude da infância e, com a ajuda de Wild Rose, refaça-os agora, dignos de uma criança que não tem pensamentos sérios sobre o mundo, que saltita, absorvendo os raios puros das elevadas bênçãos da vida.

A criança deprimida

Elm

A criança é sobrecarregada por um excesso de incumbências e exigências dos pais. Espera-se que a criança tire notas altas, cuide da casa e dos irmãos etc. Quando a criança se sente incapaz de concluir as tarefas dadas, ela se sente inadequada e "menos que". Esse fato faz com que desista de si mesma e se deprima.

Atividade meditativo-recriativa: a meditação com Elm inspira a capacidade de analisar as exigências colocadas sobre a criança, uma vez que sua característica é sentir-se sobrecarregado, aquém das exigências. Durante esse processo, a criança pode compreender que os pais estavam obviamente sobrecarregados por uma programação febril, despejada sobre sua frágil existência. O tipo Elm carrega em si a sensação de sobrecarga, de que a missão é pesada demais e ela não é a pessoa mais adequada. Elm permite que ela veja a situação de maneira mais ampla e com uma perspectiva melhor. Ela percebe, então, que não fica aquém das expectativas dos outros, mas apenas cansada pelo tipo de vida atribulado que lhe foi imposto. Desse modo, meditar com Elm ajudará a criança a relaxar e superar um por um os seus problemas; em breve sua vida irá fluir sem grandes dificuldades novamente. A criança Elm poderá, então, imaginar uma vida tranquila e não contaminada pelo corre-corre dos adultos.

Water Violet*

A depressão de Water Violet* é um pesar da alma devido a um sentimento de "sufocamento" provocado por pais aproveitadores e exigentes.

Atividade meditativo-recriativa: Water Violet* irá ajudar a Criança a sair de seu mundo silencioso e estender a mão em outra direção e para o amor. A Criança não precisará mais resolver sozinha todos os problemas da vida. Imagine sua Criança Interior plena de alegria, com facilidade para falar com os pais, que por sua vez, têm um interesse vivo por todos os seus planos e projetos.

Gorse

Gorse é um floral para a desesperança; a criança imagina que, se é um produto dos pais (alcoólatras ou desajustados), merece ser sentenciada a uma vida pior ou semelhante à deles. É um tipo silencioso de depressão; uma desistência da vida, da qual a alegria foi usurpada.

Atividade meditativo-recriativa: Gorse traz a luz do sol para a existência, fazendo desaparecer a escuridão. Assim, medite com Gorse para iluminar qualquer situação obscura na vida, em que a desesperança marcou presença. Se houver olheiras (tanto na criança, como no adulto), Gorse pode ser uma prioridade na hora de meditar. Os círculos escuros são muitas vezes uma indicação da desesperança interior. Deixe a luz do sol permear seu ser. Recrie a esperança para si mesmo e para seus pais.

Mustard

A criança Mustard vive como se uma nuvem escura pairasse sobre sua cabeça. Fisicamente, essa escuridão pode ser evidenciada em seus olhos, devido a um desequilíbrio hormonal herdado da mãe. Se a depressão persiste durante a puberdade, a menina poderá sofrer uma série de distúrbios em seu ciclo menstrual. Esses distúrbios podem ser um indicativo de que a criança perdeu o respeito pelo seu modelo masculino; possivelmente, por ter sido agredida verbal, física, sexual, mental ou emocionalmente.

Atividade meditativo-recriativa: Mustard iluminará todos os acontecimentos da vida. Visualize a criança atravessando o "abismo"; crescendo à luz do meio-dia. Sinta a luz permeando cada célula de seu corpo. Veja a criança com uma alegria sem fim, aproveitando todas as experiências que a vida pode lhe oferecer.

A criança ignorada/negligenciada

Heather

Heather se destina à criança carente de atenção, que se sente solitária e ignorada. Heather preenche o vazio. A criança Heather fala constantemente e faz qualquer coisa para ter atenção, diferen-

A CURA DA CRIANÇA INTERIOR   119

temente de Mimulus*, que, embora também tenha sido deixada de lado, mantém-se quieta, incapaz de falar sobre suas necessidades.

Atividade meditativo-recriativa: use Heather para restabelecer o laço afetivo com a mãe ou com um ente querido, de maneira que a criança receba a atenção e o amor tão desesperadamente desejados. Sente-se calmamente, permitindo que o amor preencha o vazio da indiferença. Mantenha esse processo, da mãe nutrindo sua criança com amor, tanto quanto puder, até a plenitude. Repita o processo para que a cada vez o vazio se preencha mais, até que a plenitude seja alcançada.

A criança obediente

Muitas vezes, ao ter filhos, essa Criança os educa emocional, física ou mentalmente orientando-os durante as atribulações da vida. Outras vezes, se obriga a cuidar do pai ou da mãe enfermos. Consequentemente, todas as responsabilidades são colocadas em cima dessa Criança: criar os irmãos, cuidar da casa, preparar as refeições; ela praticamente assume as funções do cônjuge que falta (seja por ter morrido ou numa separação). Cada um dos florais abaixo relacionados ilustra que personalidades têm a ver com esse tipo de responsabilidade, e as meditações que dissipam as velhas lembranças.

Centaury*

A criança Centaury* muitas vezes perde sua identidade na tentativa de agradar seus pais. Torna-se um escravo natural, desgastando-se além de seus limites. Ela é incapaz de expressar seus anseios, e dizer "Não!" é algo quase impossível.

Atividade meditativo-recriativa: Centaury* aumenta a vontade própria; a vontade própria para dizer "Não!", quando assim desejar. Imagine a criança há muitos anos atrás, dizendo exatamente o que deseja a todos que a rodeiam. Pode ser aos professores ou aos colegas, que lhe colocaram o peso de responsabilidades quando ainda criança. Complete a visualização criando uma criança alegre e contente, brincando sem qualquer incumbência ou dever desagradável pesando sobre ela.

Clematis*

A criança Clematis* é a mais sensível de todas. Quando submetida a pesadas responsabilidades ou abuso, recolhe-se para o mundo seguro de seus pensamentos, no qual pode fantasiar, criar ou apenas devanear. Intelectualmente, é capaz de dar conta da situação, porém, muitas vezes, lhe falta energia para suportar a realidade das infindáveis responsabilidades do dia a dia.

Atividade meditativo-recriativa: a criança Clematis* é naturalmente uma sonhadora, que vive perdida em devaneios. Sua falta de concentração nos assuntos presentes faz com que se recolha no mundo seguro de seus pensamentos. Ao meditar com Clematis*, imagine a criança permanecendo no presente, com o controle total de sua consciência; capaz de enfrentar as dificuldades da vida, firmando seus desejos e anseios. Agora é seguro falar e não é mais preciso se recolher para dentro de sua mente.

Rock Water

A criança Rock Water foi educada num estilo de vida duro, no qual sua voz interior foi abafada por regras muito rígidas. O fluxo natural da vida foi substituído pela necessidade do homem adulto de projetar seus valores sobre a criança, roubando-lhe a despreocupação característica dos tempos da infância. A criança teve de se submeter a regras estritas, tornando-se obediente. Essa é a criança que não deseja desapontar os pais e, por isso, sua vida é estressante, pois ela quer corresponder às expectativas alheias e ser perfeita num mundo de imperfeições.

Atividade meditativo-recriativa: medite com Rock Water dissipando a rigidez e a tensão geral de todo o corpo. Sinta o corpo fluir ritmicamente como uma onda no oceano. Veja a criança livre, desinibida e sem a influência da crítica e do julgamento do mundo dos adultos; livre para, daqui em diante, ser guiada apenas pela sua voz interior; livre das expectativas irreais de ser uma criança perfeita, seja nos esportes ou na religião, na moral, nos estudos etc.

Red Chestnut

Como criança, Red Chestnut se preocupará com o bem-estar dos pais, com medo de que algo ruim possa acontecer a eles, em particular se os pais são usuários de drogas. Irá se preocupar se os pais estarão em segurança; se não irão se prejudicar ou se não serão molestados por outras pessoas. Essa criança terá seus direitos roubados ao assumir o papel dos pais.

Atividade meditativo-recreativa: visualize a criança bem relaxada, permitindo que todas as preocupações se desvaneçam. Deixe que Red Chestnut acalme a sua mente. Pense que somente as coisas boas e favoráveis irão acontecer aos seus entes queridos. Cultive a fé em vez de preocupações. Veja a criança vivendo uma vida alegre e despreocupada; uma vida de criança.

Vervain*

A criança Vervain* é extremamente convicta de suas opiniões. No entanto, pode ficar muito contrariada pelos acontecimentos infaustos da vida, como ver um ente querido ser prejudicado, destratado ou passado para trás. Ela só vê as coisas como preto no branco, certo ou errado. A criança Vervain* crê que é seu dever se envolver em todas as situações e corrigir os erros de tudo e de todos.

Atividade meditativo-recriativa: a criança Vervain* deve aprender a relaxar e a ser mais sábia; precisa saber quando se envolver e quando não "meter o bedelho". Ela deve compreender e permitir que os outros tenham suas próprias opiniões e se responsabilizem por suas atitudes. Não existe certo e errado. O que é bom para um, não é necessariamente bom para outro. Portanto, recrie essa criança Vervain* vendo-a viver a vida calmamente e permitindo aos demais o direito de aprender com os próprios erros, sem que precisem de sua ajuda.

Vine

As crianças Vine são as que assumiram o papel do realizador esforçado. Foram levadas a acreditar que eram melhores do que qualquer outra pessoa, que nasceram para serem líderes. O filho mais velho, certamente, é o mais sobrecarregado. Espera-se de alguém assim que conduza os outros sem cometer erros e, por causa dessa responsabilidade indevida, que seja o guardião de todos os que estão à sua volta.

Atividade meditativo-recriativa: visualize essa criança livre da responsabilidade de ser um líder. Veja os pais permitindo que ela cresça sem a obrigação de ser a melhor em tudo; que se divirta como num jogo, numa brincadeira.

Elm e Oak

Tanto Oak quanto Elm são florais para pessoas muito envolvidas com suas responsabilidades. O tipo Elm se desgasta ao se sobrecarregar com as responsabilidades da vida. O tipo Oak se estressa por assumir responsabilidades demais. Em cada caso, a criança é treinada desde cedo a assumir responsabilidades e, então, se torna uma pessoa séria na vida, perdendo a capacidade de aproveitá-la. Em seguida, assume também as responsabilidades dos outros e aos poucos fica viciada em trabalho.

Atividade meditativo-recriativa: tome Oak e Elm para deixar de ser tão sério na vida. Fique com essa sensação de relaxamento e, então, volte à criança. Veja-a sentindo a alegria de viver livre, desimpedida de todas as exigências da vida. A seriedade pertence ao Ego; aceite a fé e a certeza da alma de que todas as coisas podem acontecer sem a necessidade de esforços desgastantes.

Olive

A criança Olive muitas vezes se sentirá cansada de servir os outros. Trabalhar além de suas capacidades físicas e atender a uma desgastante vida doméstica, convivendo possivelmente com um usuário de drogas ou um mau casamento, pode levar a criança a perder suas energias.

Atividade meditativo-recriativa: aspire Olive profundamente algumas vezes. Sinta, como uma comichão, a energia se espalhar por todo corpo. Sinta essa essência vital tornar a criança viva e vigorosa novamente. Recrie aqueles dias em que a essência vital foi roubada da criança. Veja-a dotada de uma energia ilimitada, superando todas as dificuldades da vida.

Willow

Willow é um floral para o ressentimento. A mente do tipo Willow quase sempre se ressente, pois parece que os outros não dividem com ele as responsabilidades da vida, forçando-o a se responsabilizar pelas atitudes alheias. "Como alguém se atreve a permitir que a criança assuma as responsabilidades de sua vida? Como podem privá-la de sua única infância?"

Atividade meditativo-recriativa: Willow ajudará quaisquer dos florais acima indicados para a criança obediente. Aspire Willow com qualquer outra essência escolhida para dissipar o ressentimento acumulado durante anos. Libere o ressentimento que mantém a criança cativa. Sinta a liberdade quando o ressentimento sair. Sinta a leveza da alma e a sensação de uma alegria intensa permeando cada célula do corpo.

A criança vulnerável/influenciável

Wild Oat

Wild Oat ajuda a todos a encontrarem seu objetivo de vida. Tome Wild Oat quando outras pessoas tentarem influenciar a criança interior a ser uma outra pessoa que não ela mesma. Wild Oat mantém a criança em seu caminho, para que cumpra seu destino.

Atividade meditativo-recriativa: com a ajuda de Wild Oat, a criança pode finalmente viver sua vida atendendo aos ditames de sua alma. Imagine a criança fantasiando ser um ator, um músico ou até o presidente, se desejar, completamente, livre das amarras das cobranças alheias. Se a criança não sabe o que quer ser quando crescer, Wild Oat irá abrir sua mente e a ajudará a materializar seu destino.

Cerato*

A criança Cerato* tem dificuldade para decidir o que é certo para ela, sendo, portanto, muito influenciada pelos demais. Essa criança tem medo de ser punida se estiver errada.

Atividade meditativo-recriativa: meditar com Cerato* irá ajudar a criança a usar sua sabedoria e coragem naturais. Visualize a criança tomando decisões precisas; indo para a direção correta e acreditando em si mesma sem precisar da anuência dos outros. Que sensação

A CURA DA CRIANÇA INTERIOR   125

maravilhosa de inteligência, de independência e de autoconfiança! Imagine essa criança progredindo livremente; indo, dizendo e fazendo o que acha correto para ela, sem necessitar da aprovação dos outros.

Scleranthus*

A criança Scleranthus* tem dificuldade para tomar decisões, porém, diferentemente de Cerato*, ela não fica conferindo suas decisões com os outros. Ela hesita em todas as suas decisões, internamente. Muitas vezes se cansa, pois esse período de indecisão interna enfraquece seu organismo, causando uma baixa crônica de energia.

Atividade meditativo-recriativa: tome Scleranthus* antes da tomada de decisões. Aspire profundamente e medite, então, sobre a questão. Acredite no que é apresentado. Não discuta com as circunstâncias. Depois que começar a acreditar na sua voz interior, a capacidade para decisões acuradas começará a aumentar. Tome Scleranthus* antes de se aposentar ou quando precisar tomar qualquer decisão. Ao se deitar, faça um pedido para que a questão se resolva, e, pela manhã, ouça a resposta.

Mimulus*

A criança Mimulus* é tão tímida e envergonhada que não é capaz de se "virar" sozinha, por isso acaba ficando vulnerável e é facilmente vitimada.

Atividade meditativo-recriativa: medite com Mimulus* e sinta a criança se transformando numa pessoa sincera, respeitável e proeminente. Sinta a coragem! Imagine a criança fazendo-se notar; marcando presença e expressando seus desejos e anseios.

Agrimony*

A criança Agrimony* precisa de paz em sua vida. Perturba-se facilmente com brigas e discussões. É incapaz de falar sobre seus verdadeiros sentimentos. Quando pressionada a fazê-lo, tenta escapar de qualquer jeito.

Atividade meditativo-recriativa: tome Agrimony* e aspire profundamente, sentindo a paz permear todo o ser da criança. Então, volte àquela criança do passado que, com a ajuda de Agrimony*, poderá confrontar e eliminar todas as lembranças horríveis que infestaram sua vida e atormentaram sua alma. Respire fundo novamente e reflita sobre como a vida pode ser maravilhosa quando nos libertamos do passado. Nunca mais a criança terá que sentir vergonha de quem é e do que pode ter acontecido em sua vida. Não será mais influenciada pelos outros, nem terá de fugir dos confrontos, pois a verdade a libertou. Tudo aquilo acabou e todos ainda a amam. Imagine, agora, a criança, desse tempo passado, falando e se comportando aberta e francamente; comunicando-se livremente com todos à sua volta; falando livremente de seus sentimentos sem medo de ser castigada e em paz consigo mesma.

Centaury*

A criança Centaury* é filha de pais que procura agradar de todas as maneiras. Perderá assim sua identidade e se tornará um camaleão, mudando e se adaptando para se adequar às necessidades e desejos alheios. Mas quem é ela?

Atividade meditativo-recriativa: tome Centaury* e sinta a sua força de vontade se tornando cada vez mais forte. Continue meditando com Centaury* até que a criança sinta essa sensação de força, e seu poder crescendo e circundando todo o seu corpo. Ela deve ficar assim até que surja a imagem de quem é e qual é o seu propósito de vida, sem que outros interfiram ou imponham nada sobre ela. Leve o tempo que precisar até que a criança sinta quem ela é. Nada de ser escrava de outra pessoa, mas, sim, alguém com ideias e pensamentos próprios. Agora, com seu poder de volta, imagine a criança diante de todos os que, no passado, tentaram conduzi-la, anunciando que não mais se curvará diante de quem quer que seja, mas que será um auxiliar consciente para ajudar os outros quando desejarem. Agora, então, ela imagina que não precisa mais ficar agradando todos os que ama, mas apenas a si mesma.

Pine

A criança Pine condena-se, assumindo a culpa dos outros. Muito provavelmente essa criança foi influenciada pelos pais para acreditar que tudo era falha dela e, portanto, era culpada por tudo. Pode também ter sido influenciada por outras pessoas de modo a sentir que era diferente, "sem jeito", não boa o bastante. Em resumo, não correspondia ao que esperavam dela. Essa criança acreditava que era culpada por não ser perfeita, e, portanto, a punição era inevitável. Quando os outros não lhe infligiam um castigo, ela mesma o fazia. Assim, colocou tudo sobre suas costas durante toda a vida.[1]

Atividade meditativo-recriativa: permita que Pine penetre nessa criança para ajudá-la a perceber o quanto é valiosa. Leve-a a perceber que a vida é, e sempre foi, uma lição de crescimento, que a leva a se tornar uma pessoa cada vez mais forte. Faça-a ver quanto tempo perdeu por "carregar as dores do mundo". Daqui para a frente os chamados "erros" serão encarados como uma experiência de crescimento

---

1. Ver Pine na criança abandonada/rejeitada

e não como uma punição. Volte, então, para a criança e recrie a família que a aceita exatamente como ela é, amparando-a em sua individualidade. Recrie também a autoaceitação. Nada nem ninguém poderá subjugar novamente essa criança, nem ela mesma. Enfim, ela está livre e não precisa mais ficar justificando sua existência.

Chestnut Bud

As crianças Chestnut Bud precisam aprender com os erros do passado e mudar os padrões destrutivos que conduziram toda a sua vida. Precisam aprender a dizer "não" e não serem coagidas a situações indesejáveis.

Atividade meditativo-recriativa: sente-se calmamente e volte ao começo da vida, quando a personalidade da criança era moldável. Inicie pelos primeiros anos nos quais, pouco a pouco, a criança começou a ser influenciada pelos outros e se esqueceu de ouvir sua voz interior. Recrie então cada incidente ou situação com a criança exercendo pleno controle, mudando, desse modo, velhos padrões e hábitos. Essa é a ocasião de internalizar as lições e optar somente por tomar as decisões que sejam do interesse dela. Quando a lição é compreendida e se torna realidade, a criança não precisará mais repetir o mesmo erro várias vezes.

Walnut

A criança Walnut é facilmente influenciada e incapaz de adaptar-se às mudanças em sua vida, ou seja, mudanças no meio ambiente, de moradia, separação dos pais, mudança de escola etc.

Atividade meditativo-recriativa: permita que Walnut crie um círculo de proteção em torno da criança. Visualize esse escudo protegendo a criança contra todo mal, pensamentos e atitudes negativos. Retorne ao passado com a criança protegida pelo casulo proporcionado por Walnut, dando origem a uma criança capaz de se proteger de qualquer coisa ou pessoa. Protegida por essa "zona de neutralização", ela poderá facilmente se adaptar a qualquer mudança.

Star of Bethlehem

A criança Star of Bethlehem é facilmente traumatizada por um mundo cruel e impiedoso. Necessita, então, de mais consolo que de crítica.

Atividade meditativo-recriativa: Star of Bethlehem propicia "braços que confortam", envolvendo a criança, amainando suas dores e diminuindo seus medos e preocupações. Imagine a criança sendo gentilmente cuidada, repousando pacificamente, distante do mundo externo. Veja os "braços protetores" a estreitá-la firmemente, mantendo-a longe do que pode causar-lhe alguma dor.

White Chestnut

A criança White Chestnut tem dificuldade para evitar que sua mente se desgaste com situações momentâneas. Ela é incapaz de se concentrar devido aos conflitos que se desenrolam em sua vida: as discussões, o choro lamentoso ou os sons do abuso sofrido.

Atividade meditativo-recriativa: para clarear a mente, a criança deve respirar pela boca algumas vezes, depois de pingar White Chestnut sobre a língua ou nas mãos. Pode-se lançar mão desse recurso antes de iniciar uma atividade meditativa com o objetivo de livrar a mente de pensamentos que impeçam a concentração. Imagine a criança com a mente clara e livre de qualquer perturbação externa, criando para si uma nova vida.

A criança raivosa/irada

Holly

Holly libera a raiva. Esteja atento, pois a ira é apenas uma cortina de fumaça, um efeito de uma causa mais profunda, que é a maior necessidade de amor. A criança Holly está cheia de emoções negativas, como inveja, ódio, ciúme e desejo de vingança; claras indicações de sua necessidade de ser ouvida, aceita, compreendida, amparada e amada.

Atividade meditativo-recriativa: deixe que Holly estimule a atuação do Poder Supremo do amor sobre a criança, preenchendo seu ser com luz, permitindo que o amor transmute o ódio e a raiva antigos em raios de luz. Entenda a raiva e o ódio pelo que realmente são: a expressão de uma necessidade maior de amor e aceitação. Medite para adquirir uma perfeita autoaceitação. Expanda, então, esse amor/luz para toda a família. Imagine a criança numa família na qual é livre para compartilhar seus desejos e anseios, não mais precisando recorrer à raiva para ser ouvida.

"O ódio verdadeiro pode ser conquistado por um ódio menor; porém, somente o Amor pode curá-lo".

Dr. Edward Bach

Cherry Plum

Cherry Plum se destina à ira que destrói e agride; quando se perde o controle da mente diante de uma condição muito estressante.

Atividade meditativo-recriativa: Cherry Plum irá permitir que essa criança expresse suas emoções, pensamentos e anseios, com calma e controle diante de qualquer situação, em vez de aparentar um controle que mais se assemelha a uma bomba-relógio prestes a explodir de modo violento e destrutivo. Medite com Cherry Plum para criar uma maneira mais relaxada de manter o controle na vida. Visualize a criança com sua família, mantendo um controle perfeito e natural, mesmo quando todos a estão provocando.

Impatiens*

Os adultos que educaram a criança Impatiens* foram pessoas demasiadamente exigentes, que queriam que tudo fosse feito imediatamente. Essa criança cresceu, então, e se tornou impaciente também. O lado duro da impaciência é a crueldade. A crueldade de dizer à criança o quanto ela é inadequada. "Veja que criança mole e burra!"

Atividade meditativo-recriativa: A criança deve imaginar-se sendo criada por pais muito compreensivos e amorosos, que a deixam caminhar em seu próprio ritmo. Veja, no passado, somente atitudes de total aceitação para com todos os envolvidos no processo. Visualize, então, o adulto completamente satisfeito com sua vida atual, paciente consigo mesmo e com todos os demais.

A criança entorpecida

Clematis*

Essa é a criança que se perde em sonhos e pensamentos. Torna-se muito distante, com um olhar vago e perdido. Seu mundo de sonhos é um santuário para onde ela foge a fim de evitar o abuso.

Atividade meditativo-recriativa: a criança Clematis* pode divagar, porém, agora, pode criar e materializar suas fantasias; não terá mais de escapar para obter segurança e, sim, compartilhará a alegria da realização.

Agrimony*

Essa criança sofreu abusos no passado e, incapaz de manifestar-se a respeito, optou pelo entorpecimento como forma de enfrentar a situação.

Atividade meditativo-recriativa: permita que Agrimony* ajude a criança a recriar uma comunicação honesta e aberta com os pais e, finalmente, extravasar todo o tormento interno que lhe tem causado sofrimentos indescritíveis. Imagine a criança livre e em paz.

Honeysuckle

Honeysuckle é a criança que fica relembrando os tempos passados em que sua vida era boa. Em especial, a criança que suportou o stress do processo de divórcio dos pais, que está separada de um deles, e que não aceita tão bem o novo cônjuge da mãe ou do pai.

Atividade meditativo-recriativa: imagine a criança deixando o passado ir embora. Veja todos aqueles pensamentos infelizes se desvanecendo. Imagine a criança muito produtiva, em busca de todos os prazeres da vida. Nunca mais o passado ficará em seu caminho. O céu é o limite.

Hornbeam

As crianças Hornbeam não querem enfrentar o dia que têm pela frente. Elas preferem ficar na cama e evitar pessoas e deveres desnecessários, que possam lhes causar algum stress. Hornbeam estimula a energia para que enfrentem as situações, sejam elas aborrecidas ou desgastantes.

Atividade meditativo-recriativa: A criança Hornbeam deve imaginar-se saltando da cama extremamente animada com a possibilidade de enfrentar novos desafios capazes de enriquecer sua vida. Com toda essa animação, a criança irá à escola, encarando-a como uma oportunidade a ser aproveitada. Visualize, ainda, a criança enfrentando alegremente qualquer situação ou pessoa que considerava difícil anteriormente. Daqui para a frente, não deixará mais nada nem ninguém roubar sua energia e alegria.

A criança reprimida

Mimulus*

A criança Mimulus* é tímida e tem muita dificuldade para se proteger contra influências externas; disso resultam impressões, pensamentos e emoções reprimidas, além, obviamente, de uma personalidade também reprimida.

Atividade meditativo-recriativa: com a ajuda de Mimulus*, a criança pode se abrir e compartilhar todos os seus sonhos e esperanças sem medo de ser punida, ridicularizada, rejeitada ou ignorada. Ela se torna, então, uma pessoa valorosa, cheia de vida e verdadeira.

Agrimony*

A criança Agrimony* detesta discussões e brigas, e se retrairá para não se envolver. Ela reprime suas emoções tão eficientemente que chega ao ponto de negar completamente sua situação, vivendo um eterno tormento, uma batalha em seus pensamentos. Geralmente, esse tipo não gosta de ficar sozinho. Prefere estar em atividade para evitar sua angústia. Se não recebe suficiente atenção ou atividade, esse tormento interno o empurra na direção de algum tipo de vício, como o do álcool ou de outra substância, usadas para não sentir a angústia.

Atividade meditativo-recriativa: Agrimony* auxilia a criança a estabelecer uma comunicação sincera consigo mesma e com a família, na qual ela possa extravasar e, finalmente, se libertar de todo o tormento que lhe causava um sofrimento indescritível. Agora ela está livre e em paz.

Clematis*

A criança Clematis* normalmente também é tímida e envergonhada, porém tem a imaginação fértil. A criança molestada mostra a repressão ao fugir para dentro de si mesma, criando um mundo particular, um lugar seguro.

Atividade meditativo-recriativa: a criança Clematis* deve visualizar-se centrada no momento atual, enfrentando a situação que se apresenta; poderá, então, entregar-se a devaneios, criar e materializar suas fantasias; não precisará mais se refugiar em busca de segurança, mas sentir o prazer da criação.

A criança carente

Chicory*

A criança Chicory* não é envergonhada, mas muito insistente ao expressar seus desejos para obter a atenção dos pais. Ela consegue isso ficando doente, tendo ataques de raiva, tirando notas baixas na escola ou demonstrando um comportamento delinquente. Chicory* aprendeu a manipular a vida para conseguir o que quer. Entretanto, paradoxalmente, aquilo ou aquele que ela possui e controla pode igualmente possuí-la e controlá-la também, como as drogas e o álcool.

Atividade meditativo-recriativa: permita que a essência Chicory* propicie a capacidade de amar incondicionalmente a si mesma e aos pais. Nem a criança nem os pais devem manipular as pessoas.

O que deve existir entre todos é um compartilhar sincero e amoroso. A liberdade é o mais elevado e valioso bem que se pode ofertar.

Heather

As crianças Heather exigem a atenção exclusiva de todos. Elas conseguem ser o centro das atenções ao falarem constantemente, subirem no colo de qualquer um que esteja disponível, bancarem o palhaço na sala e assim por diante. Elas não costumam brincar sozinhas, sempre requisitando alguém para os seus folguedos. Esse tipo de criança, na verdade, está clamando por uma ligação com a mãe, sendo essa uma das funções de Heather: propiciar um verdadeiro contato com o elemento materno, uma base real para a vida.

Atividade meditativo-recriativa: use Heather para restabelecer os laços com a figura materna ou com qualquer outro ente querido; para receber atenção e amor, que é o que essa criança procura desesperadamente por toda a vida. Sente-se em silêncio com Heather e permita que o amor preencha o vazio, que a mãe demonstre um vivo interesse pelo bem-estar da criança. Mantenha esse processo meditativo da mãe "alimentando" a criança tanto quanto puder, ou até a plenitude. Repita o processo todo até que o vazio esteja preenchido, até que a plenitude seja atingida.

A criança desqualificada/incompleta

Larch

Larch estimula a autoconfiança. A autoconfiança abalada na infância, devido à desvalorização dos pais, que a taxavam de incompetente.

Atividade meditativo-recriativa: Larch ajuda a criança interior a aceitar-se como alguém capaz e determinado; um autoimpulso inicial. Veja essa criança assumindo o controle inicial de sua vida, percebendo seu potencial ilimitado. Veja-a exalando confiança, orgulhosa por suas conquistas; veja a família toda orgulhosa pelas realizações dela. Medite e mantenha o sentimento maravilhoso de aceitação total de si mesmo e dos outros.

Gentian*

A criança Gentian* não acredita em suas capacidades e desiste mesmo diante da menor dificuldade. Essa criança é muito sensível à rejeição; ela leva os contratempos para o lado pessoal.

Atividade meditativo-recriativa: Gentian* ajuda essa criança a permanecer firme, sem desistir de si mesma; a aprender a não levar uma negativa para o lado pessoal. Imagine essa criança forte e completa, capaz de permanecer determinada enquanto executa um projeto, desde a sua concepção até sua realização completa.

Crab Apple

As crianças Crab Apple se sentem indignas de serem amadas. Sentem a vergonha e a culpa que foi depositada sobre elas como a causa dos problemas de seus pais.

Atividade meditativo-recriativa: permita que Crab Apple depure cada célula do corpo da criança. Sinta a vergonha e a sujeira sendo eliminadas. Visualize então uma criança de luz que se aproxima, viva, radiante e limpa; a escuridão foi eliminada. Liberte-se do peso da culpa que carregou por tanto tempo. Depure-se e livre-se dos fardos; ninguém mais poderá desqualificar a criança, perfeita e pura; a criança é digna do amor. Todas as emoções impuras, tóxicas e negativas foram levadas embora. Somente a luz permanece. Observe a criança com autoestima, orgulhosa de si mesma!

Cerato*

A criança Cerato* é facilmente desqualificada, pois, não importa o que faça, ela está "errada". Cedo ela aprenderá a buscar aprovação antes de se aventurar a tomar uma atitude própria. Procurará aprovação antes, para não sofrer uma punição depois.

Atividade meditativo-recriativa: Cerato* cria uma criança com uma sabedoria atemporal, a sabedoria de Salomão; uma criança reconhecida por todos por sua inteligência inata. Medite e imagine pais e professores aprovando tudo o que a criança cria, reconhecendo seus talentos e habilidades. Assim, ela jamais terá de buscar novamente a aprovação e o aval de quem quer que seja. Será uma criança inteira e completa, capaz de se manter firme, não sendo menosprezada pelos outros e exercitando sua inteligência e sabedoria naturais.

Pine

As crianças Pine atraem para si o fardo de tudo o que aconteceu com elas e com sua família; elas aceitam a punição por não se acharem "boas o suficiente". Fazem de tudo para agradar os pais; porém, não importa o que façam, não se sentem ainda boas o bastante. Encontram parceiros que abusam delas, como os pais abusaram; precisam se punir para se livrarem dos seus pecados.

Atividade meditativo-recriativa: visualize e medite somente sobre as realizações e aquisições do passado. Recrie a família que aceita plenamente a maneira como a criança é. Ela não precisa mais da aprovação dos outros. Nem aceita mais as falhas que as outras pessoas lhe tentam imputar. Crie a criança que não precisa mais ficar justificando sua existência. Medite sobre essa criança, aceitando-a e apreciando-a pelo que ela é – um perfeito filho de Deus.

Beech

As crianças Beech, no passado, foram criticadas em tudo o que fizeram. Mesmo quando o trabalho era bom, eram criticadas porque não estava perfeito.

Atividade meditativo-recriativa: essas crianças devem recriar seu passado focalizando apenas o lado positivo das atividades e situações de sua vida. Todas as pessoas envolvidas devem ser visualizadas sendo elogiadas por realizar um trabalho bem feito e radiantes de orgulho pelo feito alcançado.

A criança magoada/ferida

Willow

As crianças do tipo Willow sentem como se nunca tivessem recebido o suficiente. Como se a vida de algum modo tivesse dado menos a elas e, por isso, ficaram ressentidas pelos outros serem mais afortunados. Não se responsabilizam por suas ações e facilmente projetam suas falhas e responsabilidades sobre as outras pessoas.

As crianças ressentidas acham que os outros lhes são devedores devido à dor e ao sofrimento que suportaram.

Atividade meditativo-recriativa: as crianças Willow não precisam mais se destruir por causa do ressentimento. Liberar o ressentimento é liberar a criança. Elas devem meditar por muito tempo e com dedicação, procurando liberar todos os sentimentos contidos, que foram armazenados durante toda a sua vida.

APÊNDICE 1
Tudo sobre os florais reativos

Os florais não são tóxicos e nem formadores de hábito, mas um verdadeiro presente para a humanidade. Para a maioria, mudam e ajustam gentilmente os comportamentos negativos, criando efeitos e experiências positivas.

Os remédios florais revelam virtudes interiores latentes nas pessoas. São a expressão de emoções positivas ou o oposto vibracional das emoções negativas. Holly é um bom exemplo.

O folclore diz que Holly é do Espírito Santo. Assim, quando o Espírito Santo entra, a escuridão das emoções negativas deve sair. Ou, simplesmente, quando a luz penetra, a escuridão vai embora.

Dessa maneira, os florais substituem a falha pela virtude. Em alguns casos, essa substituição não é gentil e suave; muitas vezes, libera emoções voláteis e explosivas. Por isso, é imperativo que se compreendam as idiossincrasias de cada um dos florais reativos.

Se essas emoções explosivas e voláteis não são compreendidas pela pessoa, a depuração emocional pode se mostrar assustadora e confusa. Ela precisa estar segura de que o processo é absolutamente necessário e natural, para que consiga suportar o sentimento da raiva, a impaciência, a doença ou a dor física. Os benefícios valem a pena!

Toxinas emocionais são muito reais! Toda a química do sangue é modificada durante um episódio emocional ou durante uma crise emotiva. Essa mudança da química sanguínea é causada pela invasão de venenos emocionais no sistema. Esses venenos devem ser eliminados, para que possamos recuperar e manter a saúde.

A limpeza emocional pode durar alguns segundos ou se prolongar por todo um dia. Em geral, quando a depuração emocional se inicia, recomendamos aumentar a frequência de doses da fórmula usada para cada cinco ou quinze minutos, para que haja uma boa eliminação e o processo vá aos poucos diminuindo de intensidade.

Se essa depuração demorar mais de um dia, sugere-se que a fórmula tenha seu uso descontinuado e seja substituída por Gentian* e Rescue Remedy durante um dia, retornando à fórmula original no dia seguinte.

Muito raramente, há recorrências dessa liberação emocional; pelo contrário, há uma grande depuração e um retorno à paz e à alegria, como se um grande peso fosse retirado de cima dos ombros. E então, a vida passa a ser boa novamente! A cura se faz presente.[1]

Os florais reativos são: Cherry Plum, Water Violet*, Agrimony*, Holly, Centaury*, Willow, Mustard, Impatiens*, Crab Apple.

Cherry Plum

A reação de Cherry Plum é mais evidente naquele tipo de pessoa que parece nunca perder o controle. Esse controle tenso, contido, deseja ser liberado.

---

1. As reações emocionais podem se expressar como mudança na personalidade. Por exemplo, alguém normalmente irresponsável, dócil ou facilmente explorado, pode demonstrar traços agressivos de personalidade.

Cherry Plum libera e, por fim, alivia o desgaste causado pelas emoções contidas. No entanto, essa liberação não é "pacífica"! É melhor que a pessoa procure ficar sozinha quando esses processos vierem à tona.

A depuração de Cherry Plum é uma das mais violentas e reativas. Muitas vezes, a liberação que esse floral provoca dura apenas alguns momentos.

Cherry Plum literalmente abre as "comportas".

Water Violet*

A palavra-chave para Water Violet* é mágoa (pesar). A exteriorização e a ação reativa da mágoa muitas vezes são expressas sob a forma de choro e lágrimas. A mágoa é uma função natural e deve ser trabalhada.

O floral Water Violet* é especialmente útil para os homens. Eles, muitas vezes, não se permitem expressar suas mágoas e, incapazes de chorar, cumprem a programação de que "homem não chora".

A reação, portanto, é chorar. É bom que estejam prevenidos.

Agrimony*

O tipo Agrimony* acumula emoções. Acumula pensamentos, sonhos, esperanças, gostos e aversões. Agrimony* é incapaz de discutir seus sentimentos íntimos, que ficam enredados e acobertados lá dentro. Seu passado o persegue, trazendo culpa e vergonha por ocultar algum segredo. Esteja pronto! A reação de Agrimony* é falar, falar, falar. Por fim, ele libera as antigas emoções não reveladas e angústias escondidas há muito tempo.

A essência leva a pessoa a falar sobre tudo isso, aliviando o tremendo peso que carrega no peito e na alma.

Holly

O floral Holly é indicado para todos os estados emocionais negativos, como ciúme, vingança, desconfiança, raiva etc. A reação mais evidente e reconhecível é a raiva. Holly libera raiva.

Centaury*

O tipo Centaury* é servil. É a pessoa que faz favores e procura sempre agradar, sendo facilmente explorada. No entanto, esse tipo deseja ter coragem para dizer "não" e recusar as exigências dos outros.

Bem, o tipo Centaury* terá seu desejo atendido. Atenção! O floral Centaury* permitirá que a pessoa fale e se expresse. Isso inclui também dizer "não" quando querem dizer "não". Tudo será apenas uma questão de tempo.

Willow

O floral Willow libera os ressentimentos. Ressentimento é raiva não processada e não expressa, alojada profundamente no nível celular. A limpeza de Willow não libera a raiva verbalmente, mas fisicamente, através dos tecidos.

Dessa maneira, a pessoa pode vivenciar uma sensação dolorosa no corpo ou nas articulações, ou ainda uma doença física, como uma gripe ou algo semelhante. O ressentimento também pode ser liberado por meio do excesso de muco.

Mustard

O floral Mustard alivia a depressão. Esse é o tipo mais devastador de depressão, no qual a escuridão é total. A reação de Mustard é a depuração emocional. Ela é muito rara, mas devido à sua intensidade, é necessário mencioná-la, para que o processo seja compreendido.

Essa limpeza é capaz de intensificar a depressão. Persista no floral a cada cinco ou quinze minutos, até que a depressão se suavize. (Isso pode durar desde alguns segundos até um dia inteiro, mas os resultados são compensadores.)

Impatiens*

Impatiens* depura o nervosismo. Durante certo tempo, a impaciência e o nervosismo aparentemente pioram, manifestando-se por sinais de crueldade, direcionados aos membros da família ou aos colegas de trabalho.

A reação de Impatiens* é bastante rara. Têm sido relatados poucos casos de reação com o Rescue Remedy, que ocorrem possivelmente por conta da presença de Impatiens* na fórmula.

Crab Apple

Crab Apple libera toxinas emocionais e químicas armazenadas. Isso pode resultar num estado nauseoso ou numa "moleza" (especialmente se a depuração se refere à nicotina, drogas, cafeína, chocolate e açúcar!) Mas essa limpeza é um processo de curta duração. A pessoa poderá estar alegre como um passarinho pela manhã, e pronto para ganhar o mundo novamente.

Quando a depuração se inicia, recomenda-se que o floral seja tomado a cada cinco minutos, depois de dez em dez minutos, de quinze em quinze, até que haja alguma melhora, quando se deve voltar à periodicidade original, de quatro gotas quatro vezes ao dia, por exemplo. Caso a depuração mental se prolongue por mais de um dia, suspenda a fórmula em uso e use Gentian* junto com Rescue Remedy durante um dia, e depois volte à fórmula original. Uma vez depurado, você se sentirá mais leve, feliz e energizado, e raramente ocorrerão recidivas.

Recomenda-se que a pessoa esteja só durante esse período de transição para que ele seja mais completo e não haja interferência ou conflitos com pessoas que não compreendam o processo.

Apêndice 2
Rescue Remedy

Dr. Bach recebeu amplo reconhecimento pela formulação de Rescue Remedy. A notoriedade desse remédio deve-se primeiramente à simplicidade da aplicação. Nada apresenta até agora resultados favoráveis tão inacreditáveis (muitas vezes instantâneos).

O Rescue Remedy pode ser considerado uma panaceia, cuja utilização cobre extensa gama de situações: desde o conforto à criança amedrontada e estressada por qualquer motivo a todas as situações envolvendo o cuidado com animais e plantas, as cefaleias, queimaduras, picadas de insetos e todo tipo de ferimentos. Você jamais superará sua necessidade de Rescue. Com Rescue é desnecessário entrar numa complicação antes de decidir ou fazer algo... Dê ou tome Rescue!

Rescue Remedy não é uma essência floral em si, mas uma combinação de cinco das 38 originais. No entanto, quando juntas e combinadas, Rescue se torna uma essência única, diferente de cada um dos componentes individuais.

Por exemplo, o hidrogênio é um "elemento" em si (uma substância), bem diferente de seus elementos componentes considerados individualmente.

Bach descobriu o poder da combinação de essências quando desenvolveu o Rescue Remedy. Formulou o Rescue na ocasião de um naufrágio próximo à sua casa. Achou que essa seria uma excelente oportunidade para testar a combinação. Bach colocou o Rescue Remedy nos lábios de um marinheiro inconsciente e, imediatamente, o homem recuperou a consciência e melhorou. Essa foi a confirmação para Bach de que o sinergismo da fórmula composta de cinco essências estava correto. Para testemunhos relacionados ao Rescue Remedy, consulte o livro *Flowers to the Rescue* (vide Bibliografia).

Abaixo, relacionamos os cinco componentes do Rescue Remedy.

Rock Rose*

Este floral se destina a estados de pânico e terror, tais como sucedem em acidentes ou experiências acerca da morte. Rock Rose* é para o medo que paralisa, e também para a liberdade mental.

A ação virtuosa de Rock Rose* é a "coragem intrépida". É, pois, a coragem de arriscar a vida pela de outrem; a coragem de fazer o que é "certo", seguindo os ditames da alma contra todas as adversidades.

Impatiens*

Este é o remédio da DOR! Dor sob qualquer forma, desde uma dor de dente até a que sobrevém a um grave acidente. (Comumente se diz que Impatiens* foi colocado no Rescue Remedy para as ocasiões de extrema irritabilidade e stress mental). Bach, no entanto, diz que Impatiens* "é para DOR" e, em seguida, que Impatiens* funcionou quando a morfina havia falhado.

Clematis*

Este floral restaura a consciência. Isso inclui quaisquer estados de inconsciência, tais como desmaios, coma ou ferimento que causou inconsciência.

A ação virtuosa de Clematis* é sua capacidade de "focalizar" o presente. Combinado com o Rock Rose*, resulta na capacidade de permanecer atento e levar a cabo uma ação. No caso de dor, Clematis se alia a Impatiens para manter a consciência, se a pessoa está sujeita a uma condição extrema.

Cherry Plum

Este remédio se destina à perda de controle. Cherry Plum é necessário quando a histeria é evidente, o tipo de histeria em que se chega ao ponto de ferir alguém ou a nós mesmos, incluindo o suicídio.

A ação virtuosa de Cherry Plum é sua capacidade de "reconectar o indivíduo com o domínio do controle Divino". No Rescue, Cherry Plum facilita a função de Impatiens*, incrementando a capacidade de se manter sob controle ao lidar com o elemento dor. Combinado com Rock Rose*, Cherry Plum facilita a manutenção do controle, mesmo quando a pessoa está aterrorizada. Combinado com Clematis*, Cherry Plum faz com que a pessoa permaneça concentrada, alerta e conscientemente controlada, mesmo sob condições extremas ou sob pressão.

Star of Bethlehem

Este remédio é para o choque e o trauma. Por exemplo, o choque experienciado e o trauma após ouvir más notícias, após sofrer um acidente ou diante de algum tipo de prejuízo. Star of Bethlehem é o "consolador das tristezas".

Uma das ações virtuosas de Star é dissolver o trauma. Isso é benéfico, pois um incidente traumático, graças ao efeito de Star of Bethlehem, não se fixa no padrão de memória subconsciente, tirando do trauma a possibilidade de persegui-lo pelo resto da vida. Por exemplo, Star pode dissolver o trauma de uma criança atacada por um cão, de modo que ela não continue com medo de cachorro a vida toda. A mesma coisa sobre uma pessoa que volta a dirigir após ter sofrido um acidente.

Nunca saia de casa sem Rescue Remedy – a vida a ser salva pode ser a sua!

Apêndice 3
Tabelas

Nas tabelas a seguir estão sugeridas algumas das mais frequentes combinações de florais, segundo o estudo das características de cada personalidade. Na primeira coluna estão os auxiliares mais frequentemente necessários e, nas demais colunas, os assistentes mais indicados para cada caso em particular. Os florais chamados de os Doze Curadores mereceram do dr. Edward Bach o destaque por representarem os tipos personais observados nos seres humanos. São identificados em todas as publicações sobre florais de Bach com um asterisco (*) após o nome.

O sistema hierárquico dos florais de Bach se completa com os Sete Auxiliares, mais Mustard, que, como uma décima terceira personalidade, serve de elo de ligação entre os seres humanos e a Divindade, e os Dezoito Anjos Sofredores ou Assistentes – florais do segundo grupo, constituído em sua maioria por árvores que expressam, por assim dizer, os aspectos negativos das personalidades, sua maneira própria de sofrer e reagir. Os Assistentes se classificam em três categorias: Portadores de luz, mais próximos da Divindade; Conectores, de posição intermediária; e Projetores, mais próximos aos seres humanos.

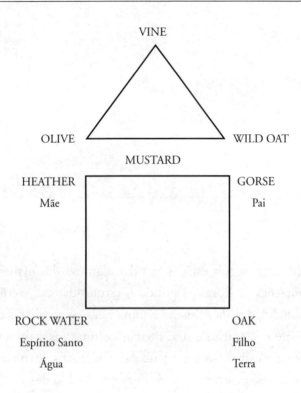

Tabelas das combinações mais frequentes para cada personalidade

Mimulus*

Gorse	Aspen	Larch
Oak	Star of Bethlehem	Willow
Heather	Cherry Plum	Sweet Chestnut
Vine	Crab Apple	Honeysuckle
Olive	Walnut	Hornbeam

Gentian*

Gorse	Aspen	Red Chestnut
Heather	White Chestnut	Walnut
Oak	Elm	Larch
Vine		
Wild Oat		

Cerato*

Heather	Aspen	Cherry Plum
Vine	Red Chestnut	White Chestnut
Olive	Holly	Walnut
Wild Oat	Crab Apple	Elm
	Larch	Pine

Centaury*

Oak	Cherry Plum	Red Chestnut
Olive	Walnut	Elm
Wild Oat		Pine

Clematis*

Wild Oat	Aspen	White Chestnut
	Hornbeam	Walnut
	Wild Rose	

Agrimony*

Gorse	Aspen	Cherry Plum
Heather	Beech	Honeysuckle
Oak	Mustard	White Chestnut
Rock Water	Hornbeam	Holly
Vine	Walnut	Pine
	Sweet Chestnut	Willow
	Wild Rose	

Scleranthus*

Olive	Aspen	Red Chestnut
Wild Oat	Mustard	White Chestnut

Water Violet*

Gorse	Cherry Plum	Honeysuckle
Oak	Mustard	Wild Rose
Rock Water		
Vine		
Wild Oat		

Impatiens*

Heather	Beech	Holly
Rock Water		
Vine		

Vervain*

Oak	Cherry Plum	Beech
Rock Water	Chestnut Bud	Mustard
Vine	Elm	Sweet Chestnut
Olive	Wild Rose	

Rock Rose*

Gorse	Cherry Plum	Larch
Heather	Honeysuckle	Star of Bethlehem
Oak	White Chestnut	Crab Apple
Olive	Sweet Chestnut	

Chicory*

Heather	Aspen	Cherry Plum
Vine	Red Chestnut	Beech
	Honeysuckle	Mustard
	Holly	Crab Apple
	Willow	

Apêndice 4

Os dezoito assistentes (anjos sofredores)

Portadores de Luz	Conectores	Projetores
Aspen	Hornbeam	Star of Bethlehem
Cherry Plum	Holly	Sweet Chestnut
Crab Apple	Honeysuckle	Willow
Beech	Pine	Walnut
Chestnut Bud	Larch	White Chestnut
Elm	Red Chestnut	Wild Rose

Apêndice 5

Os doze curadores e suas virtudes, falhas e modos reacionais

Floral	Virtude (+)	Falha (-)	Reação #
Mimulus*	Compassividade	Ódio	Medo
Gentian*	Entendimento	Desencorajamento	Falta de fé
Cerato*	Sabedoria	Tolice	Dúvida de si
Centaury*	Vontade poderosa	Vontade fraca	Confunde servir e sacrificar
Clematis*	Atenção, foco	Indiferença	Incapaz de materializar as ideias
Agrimony*	Paz interior	Tormento	Negação dos sentimentos
Scleranthus*	Firmeza	Indecisão	Desequilíbrio
Water Violet*	Alegria	Calma, avoamento	Pesar
Impatiens*	Perdão	Sofrimento, crueldade	Impaciência
Vervain*	Tolerância	Entusiasmo, fanatismo	Idealismo exagerado
Rock Rose*	Coragem	Aterrorizado	Não confia no processo vital
Chicory*	Amor, desapego	Possessividade	Incapaz de deixar ir

Apêndice 6

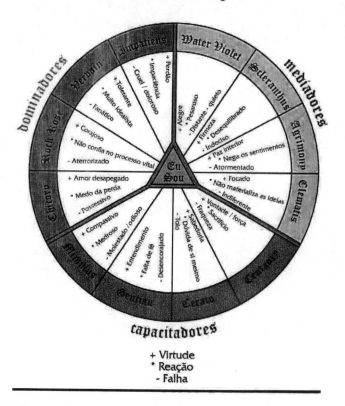

+ Virtude
* Reação
− Falha

Na figura acima vemos os doze tipos de personalidade, dispostos em três grupos (dominadores, capacitadores e mediadores), numa roda chamada Roda das Emoções. Cada tipo personal exibe três aspectos de sua natureza: virtude (+), modo reacional (#) e falha (−). No centro, temos o triângulo simbolizando o Eu Sou, a figura do Cristo, relacionado ao floral Mustard.

APÊNDICE 7

O perfil da personalidade de acordo com os florais de Bach

Jessica Bear
Wagner Bellucco

Numa sessão de atendimento cinesiológico[1], o objetivo é encontrar as essências que irão assistir o cliente na manutenção de um estado harmonioso de seu modo de ser natural.[2]

Para o adepto da filosofia dos florais de Bach, a combinação das essências desaloja conteúdos enraizados no corpo, provenientes dos acontecimentos emocionais da vida.

---

1. A cinesiologia aplicada ou *Touch for Health* é uma prática diagnóstica na qual se faz perguntas e se obtém respostas do tipo sim ou não, ao mesmo tempo em que se faz um anel muscular, pressionando os dedos polegar e indicador. As variações de tensão sentidas pelo terapeuta permitem diagnosticar problemas de saúde ou o nível em que eles se originaram (mental, sentimental, emocional, físico).
2. Acreditamos ser igualmente possível estabelecer o diagnóstico do conjunto de essências florais através da anamnese rotineira praticada por médicos e psicólogos. O interrogatório e a observação do cliente nos fornecem elementos diagnósticos, assim como de acompanhamento do caso. A cinesiologia aplicada ou *Touch for Health* era a técnica utilizada pela dra. Jessica Bear, porém não é a única maneira de se lidar com os florais.

A combinação de florais torna-se uma representação viva que expressa a somatória dos potenciais, fraquezas, conquistas e falhas e, o mais importante, os motivos por trás de tudo isso.

Os florais individuais são meros *bits* de informação, mas sua combinação oferece uma visão abrangente do propósito de vida de uma pessoa e, possivelmente, a chave para o que a está impedindo de alcançá-lo.

Primeiro passo: determinando os traços principais da personalidade

Podemos nos utilizar do teste muscular (o anel formado pelo indicador e o polegar), para determinar o tipo de personalidade, e da Roda das Emoções, para estabelecer se a personalidade é do tipo capacitador, mediador ou dominador.

Os tipos de personalidade estão numerados de um a doze. Mustard é a 13ª personalidade, e não se encaixa dentro das categorias mencionadas.

Suponhamos que tenhamos encontrado uma personalidade do tipo dominador. O grupo dos Dominadores começa com o Impatiens #9 na Roda das Emoções (pode-se mencionar a personalidade pelo nome ou pelo número). Depois da análise, surge o tipo Vervain #10. No entanto, Centaury #4 também é confirmado no grupo dos Facilitadores e Agrimony #6 no grupo dos Mediadores.

Facilitadores	Mediadores	Dominadores
#1. Mimulus	#5. Clematis	#9. Impatiens
#2. Gentian	#6. Agrimony	#10. Vervain
#3. Cerato	#7. Scleranthus	#11. Rock Rose
#4. Centaury	#8. Water Violet	#12. Chicory

Como dissemos, Mustard não pertence a uma categoria definida. Deveria haver uma única personalidade verdadeira. Caso seja impossível priorizar um só tipo de personalidade, isso se deverá à influência de um outro tipo sobre a pessoa, que se sobrepõe e encobre a verdadeira personalidade de maneira tão eficiente que o corpo é incapaz de determinar a verdadeira.

Em nosso exemplo, Centaury #4, Agrimony #6 e Vervain #10 foram confirmadas, mas existe somente um tipo verdadeiro de personalidade. Portanto, existem duas influências extras de personalidades pairando vibracionalmente. (Num teste muscular seria detectada uma só personalidade verdadeira.) Num caso como esse, aparentemente, o corpo/mente não é capaz de separar ou distinguir sua verdadeira personalidade da impostora. Frequentemente essa personalidade fantasma resulta da influência de personalidades parentais. Esse aspecto será discutido no sexto passo.

O processo de eliminação das personalidades fantasmas é facilitado ao ministrarmos os florais de personalidade (curadores) separadamente, um por vez, colocando-se algumas gotas na palma das mãos, esfregando nos pulsos, batendo as mãos delicadamente nas faces e, com as mãos em concha sobre o nariz, aspirando profundamente. Podemos obter algum resultado apenas com o cliente segurando o frasco de floral, no entanto, pessoalmente preferimos usar os métodos anteriormente descritos.

As respostas obtidas ao interpelarmos verbalmente sobre os florais em questão são meras indicações, muitas vezes não efetivas, uma vez que são influenciadas pelas pseudopersonalidades que se tornaram parte daquela pessoa. Entretanto, é muito comum a afirmação de que se trata de uma personalidade verdadeira. Para aplicar esse procedimento[3] ao nosso exemplo, o floral Centaury* #4 deveria ser ministrado em primeiro lugar. Isso determinaria se Centaury* é a verdadeira personalidade ou apenas uma fachada. A essência dissiparia, momentaneamente, a influência, caso se tratasse de uma personalidade agregada. Reavaliando, a resposta, então, seria negativa para Centaury*, o que nos levaria a concluir que não se trata da personalidade verdadeira, mas apenas uma influência sobre a pessoa, que interfere sobre seu tipo verdadeiro. (Essa ocorrência será discutida no sexto passo).

O mesmo processo deverá ser repetido com Agrimony* para confirmar ou afastar a possibilidade de se tratar da personalidade verdadeira. Se a resposta for negativa, aplicar o teste com Vervain*. Ao final, após uma resposta positiva, surge Vervain* como a verdadeira personalidade.

Segundo passo: determinando os florais auxiliares

Após confirmar a personalidade principal, o próximo passo seria determinar o auxiliar, que atua como um conselheiro sábio que orienta a verdadeira personalidade em seu caminho, livrando-a da influência dos "penduricalhos genéticos" e dos pecados do pai.

O grupo dos auxiliares possui características visuais que podem confirmar o que foi constatado na consulta verbal. Os aspectos visuais são a estatura e a coloração da pele: alguns são bem corados, outros pálidos, e ainda há Wild Oat, que é indiferenciado.

---

3. A cada pergunta e resposta na variação da tensão muscular, borrifa-se uma essência sobre o corpo da pessoa, visando harmonizar a aura e soltar dela, por assim dizer, a influência energética de outra personalidade – por exemplo, do pai ou do marido.

Pálidos	Corados	Indefinido
1. Olive	4. Vine	7. Wild Oat
2. Gorse	5. Heather	
3. Oak	6. Rock Water	

Pode ser preciso mais de um Auxiliar para a personalidade, que, no nosso exemplo, é Vervain. A pessoa também pode pertencer aos dois grupos de coloração da pele, dependendo das influências genéticas dos pais.

Vamos supor, continuando com o nosso exemplo, que tenha ocorrido uma resposta afirmativa para um auxiliar pálido, Oak, e para um corado, Rock Water.

Terceiro passo: determinando os florais assistentes

Para facilitar a determinação, pela cinesiologia, de quais dos dezoito florais restantes, ou assistentes, irão facilitar o equilíbrio da verdadeira personalidade, eles estão classificados de acordo com os sete grupos básicos de estados mentais/emocionais do dr. Edward Bach.

I. Preocupação excessiva com o bem-estar dos outros

II. Medo

III. Solidão

IV. Falta de interesse no presente

V. Hipersensibilidade a influências externas

VI. Incerteza

VII. Desânimo e desespero

Os assistentes são numerados de 1 a 18 e se encontram sob o grupo a que pertencem:

I. Preocupação excessiva com o bem-estar dos outros

1. Beech

II. Medo

2. Aspen
3. Cherry Plum
4. Red Chestnut

III. Solidão

Não possui assistentes

IV. Falta de interesse no presente

5. Chestnut Bud
6. Honeysuckle
7. White Chestnut
8. Wild Rose

V. Hipersensibilidade a influências externas

9. Holly
10. Walnut

VI. Incerteza

11. Hornbeam

VII. Desânimo e desespero

12. Crab Apple
13. Elm
14. Larch
15. Pine
16. Sweet Chestnut
17. Willow
18. Star of Bethlehem

O primeiro passo para determinar os assistentes da personalidade é encontrar qual(is) grupo(s) irá(ão) assessorar a personalidade. Digamos que, após a pergunta ao corpo, os grupos "Hipersensibilidade a influências externas" e "Medo" sejam confirmados. O passo seguinte seria determinar os assistentes dentro de cada grupo, através dos testes musculares, checando os números 2, 3, 4, 9 e 10. Para completar nosso exemplo, digamos que Cherry Plum # 3 e Holly # 9 foram confirmados.

Quarto passo

Resumindo, temos:

A. Tipo de personalidade – Vervain

    1. Personalidades agregadas – Centaury e Agrimony

B. Auxiliares – Oak e Rock Water

C. Assistentes – Cherry Plum e Holly

Que tipo de informação podemos extrair dessa combinação? O que isso pode indicar sobre essa pessoa? Que perguntas podem ser colocadas?

Tipo de personalidade – Vervain

Vervain corresponde a um tipo muito convicto, até mesmo fanático e entusiasta com seu modo de ver a vida. Atrai para si o dever de forçar todos a praticarem suas crenças com o intuito de salvar o mundo.

Auxiliares – Oak e Rock Water

Vervain combinado com Oak indica que ele carrega sobre os ombros uma tremenda carga de responsabilidade. O tipo Vervain desequilibrado, que possui um complexo messiânico, já acha que foi enviado para salvar o mundo. A combinação Vervain-Oak leva literalmente sua missão às últimas consequências, por isso pode quebrar como o carvalho e apresentar uma doença grave, como um ataque cardíaco ou um derrame cerebral.

Se o cliente ainda confirmou o floral Rock Water, nossa! O tipo Rock Water é duro e inflexível em suas crenças. Por conseguinte, o tipo Vervain, que pensa ter nascido para salvar o mundo, que assumiu uma responsabilidade excessiva com a postura de Oak, com Rock Water ainda é pressionado a aparentar a perfeição, obrigando-se a viver sob padrões elevados, como aderir firmemente a uma religião ou estilo de vida. Parece até que a pessoa jamais ouviu falar na palavra diversão.

Assistentes – Cherry Plum e Holly

Acrescentado ao tipo Vervain, Cherry Plum se destina a permitir o equilíbrio e o controle. Inversamente, pode significar também uma incapacidade para permanecer controlado. No entanto, pelo fato de a pessoa estar expressando um senso exagerado de responsabilidade, Oak, Cherry Plum irá ampará-la nessa condição, permitindo que relaxe um pouco. Os tipos controlados Oak, Rock Water e Cherry Plum aprenderam que é impróprio demonstrar suas emoções. Foram educados para agir de acordo com o que se esperava deles. Assim, essa pessoa naturalmente entusiasta e responsável, que sente apego a normas e regras fixas, acredita (por influências externas) que é inaceitável expressar-se livremente e, dessa maneira, não permite esse comportamento por medo do fracasso. Porém, de vez em quando, esse tipo perde a cabeça, se altera e, então, volta ao seu jeito controlado de ser, até atingir novamente o limite de sua paciência.

O PERFIL DA PERSONALIDADE DE ACORDO COM OS FLORAIS DE BACH 169

Outra interpretação para essa combinação é aquela na qual o indivíduo é benevolente e controlado apenas com estranhos, ao passo que em casa submete os familiares ao seu fanatismo e modos desumanos, obrigando-os a serem tão infelizes quanto ele. Desse modo, a saga continua.

O floral Holly ajuda a liberar ou a expressar a raiva. No entanto, a verdadeira ação de Holly é ajudar as personalidades a acreditarem em si mesmas. Isso torna possível, à pessoa, ouvir os conselhos dos outros de modo impessoal, enquanto adota uma postura de "obrigado por compartilhar". No entanto, é claro por que essa personalidade tem estado sob tanto stress e pressão: é evidente que a alma aceitou que nada era certo e concluiu que todas as coisas devem mudar para serem aceitas aos olhos do mundo. Seu estilo de vida requer regras muito rígidas e, desse modo, seu jeito natural deve ter sido incorreto e inaceitável. No intuito de parecer valoroso para os demais e para si mesmo, reage sobrecarregando-se com excesso de responsabilidade.

A raiva é um reconhecimento saudável de que existe algo inaceitável em nossa vida. O curador pode ajudar o indivíduo a dissolver a raiva por meio do reconhecimento daquilo que a origina. Sabemos que, na maioria das vezes, isso corresponde a uma programação antiga e recorrente que nunca foi abandonada. No sexto passo, será demonstrado como isso pode ser discutido de modo mais específico com o cliente.

Quinto passo:
discutindo opções mais saudáveis

Uma vez que o curador tenha confirmado áreas da vida do cliente em desequilíbrio, e que estejam causando stress, e determinado os florais mais adequados às suas necessidades – no caso, Vervain*,

Oak, Rock Water, Cherry Plum e Holly –, ele poderá explicar o que o cliente pode esperar dos florais de Bach.

Você poderá dizer ao cliente Vervain que ele irá começar a tratar os assuntos de maneira menos enfática, achando tempo para relaxar e gozar a vida, percebendo que nem tudo o que ele faz precisa ter um grande propósito. Talvez o propósito seja exatamente aproveitar um pouco a vida. A personalidade Vervain será auxiliada por Oak a perceber que ser excessivamente responsável também significa estar em desacordo com todas as partes envolvidas. Você deverá esclarecer que os outros membros da família têm de tomar suas próprias decisões. Os tipos Oak têm tendência a "quebrar", por isso, é preciso lembrá-los de que precisam tirar algum peso de cima dos próprios ombros e deixar que os outros também façam sua parte.

O floral Rock Water deve ajudar o tipo Vervain a ser mais flexível, fluente, e perceber que o objetivo das regras é estabelecer algumas linhas de conduta que podem ser interpretadas de forma diferente, sendo adaptadas aos desejos e necessidades de cada personalidade para manter o equilíbrio geral na vida. Os seres humanos constituem um grupo ímpar, e é muito difícil encaixá-los em regras; alguns só se adaptam uma caixa redonda! Porém, isso não os torna errados e inaceitáveis, mas tão somente diferentes, o que é muito bom!

O terapeuta deve informar ao cliente que Cherry Plum irá possibilitar uma entrega, no qual o eu inferior entregará o controle ao Eu Superior, permitindo que tudo possa ser uma aventura! É importante lembrar que Cherry Plum pode ser um dos florais mais reativos, se as emoções foram acumuladas e rejeitadas ao longo da vida. Pelo fato de estarem ligados às qualidades do Eu Superior, os florais de Bach podem dissipar um controle artificial.

O PERFIL DA PERSONALIDADE DE ACORDO COM OS FLORAIS DE BACH 171

Diga ao cliente que lembre aos amigos e familiares que ele está liberando conteúdo emocional antigo acumulado, e que eles não devem levar as coisas para o lado pessoal.

Explique que Holly o ajudará a aceitar sua nova maneira de ser. Holly também pode ser um floral reativo para os tipos Vervain, que, uma vez livres, podem expressar verbalmente o que para eles é inaceitável; sua reação pode ser a raiva, que em geral dura poucos minutos e será compensada pelos resultados.

Encoraje o cliente, dizendo-lhe que finalmente tirará algum proveito da vida, deixando de sentir toda aquela responsabilidade pelo mundo inteiro, tendo agora de se concentrar apenas na pessoa mais importante de sua vida, ele mesmo. Essa pessoa, é claro, é de inestimável importância para todos, mas deve estar atenta aos próprios limites, mantendo um semblante sereno e saudável.

Sexto passo: a influência das personalidades agregadas

Lembre ao cliente que a verdadeira felicidade só pode ser alcançada se ele for verdadeiro consigo mesmo; que jamais será feliz agindo como outra pessoa ou tentando se parecer com ela, com o objetivo de obter seu amor e respeito; que somente será feliz quando for respeitado pelo que é.

No nosso exemplo, as personalidades agregadas ou pseudopersonalidades eram Centaury* e Agrimony*. No entanto, o estudioso dos florais de Bach está consciente de que as essências da categoria dos auxiliares servem para indicar as influências genéticas que se mostram sobre a personalidade – no caso, Oak e Rock Water.

Como consequência, o curador poderá querer discutir com o cliente em que ocasião das personalidades agregadas estiveram presentes em sua vida. Para facilitar as coisas, poderá descrever o tipo

Centaury*, que é servil e acha difícil dizer "não" e acaba deixando que os outros drenem sua energia. O cliente poderá dizer:

"Sim, sim, minha mãe é assim! Ela é uma pessoa maravilhosa. Ela é muito firme e ativa na igreja. Cuida de muitas famílias desabrigadas, negligenciando por vezes seus deveres e necessidades domésticas para ajudá-los. Ela frequentemente se cansa por não saber dizer um "não" para a igreja ou para as famílias que está ajudando. Ela é uma santa!"

Note que o cliente descreveu claramente o tipo de personalidade Centaury*-Oak. O curador deveria, então, lhe perguntar: "Você imita sua mãe em sua vida?" O cliente sorri e responde:

"Sim, eu faço isso! Não imagina como odeio fazer tudo aquilo que a minha mãe fez. Eu sempre achava que eu nunca era tão bom quanto deveria ser. Estava tentando ser aceitável para Deus animando-a e, agora, percebo que a vida dela não era uma coisa natural para mim. Eu sou uma pessoa de valor. Ofereci meus próprios dons especiais para ser de ajuda aos outros. Se estou feliz, devo ser verdadeiro e aceitar meu caráter único!"

Prosseguindo nos testes, o terapeuta deve descrever o tipo Agrimony* como a pessoa que tem dificuldade para expressar suas emoções; ela teme que, se as pessoas souberem coisas demais sobre ela, não será mais respeitada e amada. Dessa maneira, ela mantém segredo sobre sua privacidade, sobre sua vida, mostrando-se sempre contente e negando tudo. Entretanto, as pessoas próximas a esse tipo percebem o quanto são estressados e angustiados. Nesse ponto o cliente poderá dizer:

"Você está descrevendo o meu pai! Ele era o tipo de pessoa alegre até que começou a beber e, então, pôs tudo a perder. Felizmente, isso não acontece muito frequentemente, porém, quando ele bebia perdia o controle e se tornava inconveniente, especialmente com minha

O PERFIL DA PERSONALIDADE DE ACORDO COM OS FLORAIS DE BACH 173

mãe, embora ela nunca se queixasse. Meu avô era um homem muito rígido e controlava todo mundo com mão de ferro; por isso compreendo por que meu pai agia assim, pois nunca teve a oportunidade de expressar sua opinião sem que fosse punido. A família inteira tinha de viver de acordo com os modos rígidos do meu avô. Felizmente, ele foi embora quando eu ainda era jovem".

O avô foi, portanto, a influência Rock Water sobre a família.

A pergunta seguinte ao cliente deveria ser: "Você acha que tem algo dos procedimentos de Agrimony* ou Rock Water em sua vida?" A resposta pode ser:

"Bem, acho que sou um pouco Rock Water quanto a comer carne. Sou muito rigoroso com minha alimentação; sou vegetariano. Acho que comer carne é cruel e desnecessário. O mundo seria um lugar bem melhor sem a necessidade de matar os animais. Agora percebo que tenho dificuldade para discutir minha história pessoal. Sou muito falante quanto aos problemas do mundo, mas não permito que entrem na minha vida pessoal".

Sétimo passo: possíveis correlações físicas

Lembre-se de que Vervain* compartilha energia com o meridiano Triplo-Aquecedor, a tireoide, Silicea e muito mais.

Bibliografia e leituras recomendadas

AGREDA, Venerable Mary of. *The mystical city of God.*

ARINTERO, Father Juan G. *Song of songs – A mystical exposition.*

ARNOUDT, Rev. Peter J. *The imitation of the sacred heart of Jesus.*

BACH, Edward. *Os remédios florais do Dr. Bach – Cura-te a ti mesmo.* São Paulo: Editora Pensamento, 1990.

_____. *A terapia floral – Escritos selecionados de Edward Bach.* São Paulo: Editora Ground, 1991.

BARNARD, Julian. *Um guia para os remédios florais do Dr. Bach.* São Paulo: Editora Pensamento, 1990.

_____. *Padrões de energia vital.* São Paulo: Editora Aquariana. 1991

BARNARD, Julian & BARNARD Martine. *The healing herbs of Edward Bach.* Londres: Butler & Tanner, 1988.

BARTOLO, Lucia de. *Florais: vivendo os passos do Dr. Bach.* São Paulo: Editora Gente, 1993.

BEAR, Jessica. *Bach flower workbook workshop.* Las Vegas: Pam Callaway, 1990.

BEAR, Jessica & BELLUCCO, W. *O poder dos florais de Bach.* São Paulo: Editora Gente, 1996.

BEAR, Jessica & BELLUCCO, W. *Aplicações práticas dos florais de Bach.* São Paulo: Editora Pensamento, 2002.

_____. *Jogos de poder.* São Paulo: Robe Editorial, 1998.

BIBLIOGRAFIA

_____. *Florais de Bach – O livro das Fórmulas*. São Paulo: Editora Pensamento, 2006.

_____. *Florais de Bach e Homeopatia*. São Paulo: Editora Pensamento, 2010.

BELLUCCO, W. *O gestual dos florais de Bach*. São Paulo: Editora Pensamento, 2008.

CHANCELLOR, Phillip. *Manual ilustrado dos remédios florais do Dr. Bach*. São Paulo: Editora Pensamento, 1991.

GURUDAS. *Flower essences and vibrational healing*. San Rafael: Cassandra, 1989.

HAY, Louise. *Você pode curar sua vida*. 8ª ed. São Paulo: Editora Best-Seller, 1995.

HOWARD, Judy. *Os remédios florais do Dr. Bach passo a passo*. São Paulo: Editora Pensamento, 1991.

HOWARD, Judy & RAMSELL J. *The original writings of Edward Bach*. Londres: C. W. Daniel, 1990.

JONES, T. W. Hyne. *Dicionário dos remédios florais do Dr. Bach*. São Paulo: Editora Pensamento, 1991.

KRIPPER, Victor. *Terapia floral de Bach aplicada à psicologia*. São Paulo: Editora Gente, 1992.

LAMBERT, Eduardo. *Matéria médica e terapia floral do Dr. Bach*. São Paulo: Editora Pensamento, 1993.

_____. *Os estados afetivos e os remédios florais do Dr. Bach*. São Paulo: Editora Pensamento, 1992.

LEADBEATER, C. W. *Os chakras*. São Paulo: Editora Pensamento, 1989.

MONARI, Carmen Lucia Rita. *Participando da vida com os florais de Bach*. São Paulo: Editora Roca, 1995.

MONTEIRO JR., Aluízio José Rosa. *A cura pelas flores – Os harmonizantes florais do Dr. Bach*. São Paulo: Ibrasa, 1992.

PASTORINO, Maria Luisa. *A medicina floral de Edward Bach*. São Paulo: Clube de Estúdio, 1992.

PAOLA, Saint Francis of. *Simi and segreti.*

SCHEFFER, Mechtild. *Terapia floral – Teoria e prática.* São Paulo: Editora Pensamento, 1991.

VLAMIS, Gregory. *Rescue – Florais de Bach para alívio imediato.* São Paulo: Editora Roca, 1992.

WEEKS, Nora. *The medical discoveries of Edward Bach, physician. What the flowers do for the human body.* Londres: C. W. Daniel, 1973.

WEEKS, Nora & BULLEN, Victor. *The Bach flower remedies – Illustrations and preparations.* Londres: C. W. Daniel, 1964.

WHEELER, F. J. *Repertório dos remédios florais do Dr. Bach.* São Paulo: Editora Pensamento, 1990.